Comedian Rhapsodie

Thomas VDB

Comedian Rhapsodie

Flammarion

© Flammarion, 2021.
ISBN : 978-2-0802-6370-4

À Yves Bongarçon

2005

Gilles Heylen était assis en face de moi derrière son bureau et me tendait un quatrième échantillon de papier. « Tu penses quoi de celui-ci ? Il est plus fin donc il s'abîme plus facilement mais l'avantage c'est qu'il est moins cher. » Il attendait d'avoir mon avis. C'est la première fois qu'on me demandait mon opinion sur la texture d'un papier, chose à laquelle je ne m'attendais pas du tout. Pour ne pas le contrarier, je frottai le papier dans la paume de ma main en essayant de me concentrer, sans savoir si j'étais vraiment concentré ou si je jouais seulement à l'être pour lui faire plaisir. « C'est vrai qu'il est plus fin, il risque de se déchirer », lui dis-je, voyant bien qu'il restait au moins cinq échan-tillons de papiers différents sur le bureau et que j'allais être obligé de lui donner un avis sur chacun. J'étais déjà à court d'adjectifs. Ça risquait de se voir au bout d'un moment que je ne faisais que répéter ses propos en changeant un ou deux mots, comme au restaurant quand on me recommande un vin qui part sur des arômes de fruits rouges et dont je dis en retour qu'effectivement il est bien fruité. Gilles me fixa. « C'est ton magazine, c'est toi qui décides, c'est toi qui connais le mieux tes lecteurs ! » Effectivement le lecteur est le mieux placé pour apprécier la qualité du papier de la revue qu'il est en train de lire, mais il ne m'était jamais venu à l'idée qu'un lecteur puisse s'agacer de la texture du papier glacé sur lequel le magazine était imprimé. Il était pourtant bien ce papier glacé, pourquoi en changer ?

Que s'était-il passé pour que je me retrouve là à frotter des bouts de papier dans le creux de ma main dans le bureau d'un immeuble de Clichy ? Le 20 janvier 2005, j'avais 25 ans et je m'apprêtais à quitter ce métier qui m'avait fait rêver toute mon adolescence : journaliste dans la presse musicale. Il aurait fallu me prévenir, moi, qu'aussitôt après avoir réalisé mon rêve j'allais devoir en trouver un nouveau. J'avais rêvé de le devenir, je l'étais devenu, mais je venais curieusement d'en arriver à un point où il fallait absolument que ça cesse. Ma décision était prise.

Enfance

Dans les années 1980, les films du soir à la télé étaient annoncés à 20 h 35 et ils commençaient à l'heure. Un jour extraordinaire, ma mère m'autorisa à regarder *West Side Story* alors que c'est long et que ça finissait à 23 heures, soit une heure avant le début de la journée suivante ! C'était la première fois que j'avais le droit de regarder un film qui n'était ni avec Louis de Funès ni avec Belmondo, et le premier film que j'eus le droit de regarder sans même l'avoir réclamé. Je ne lui avais rien demandé et un jour elle me dit juste « Ce soir on va regarder *West Side Story* » parce que c'était un de ses films préférés (avec *Elephant Man*, dont j'étais curieux de voir ce qu'il valait à côté de *Superman*). J'adorais le film et les chansons, même si je ne comprenais pas pourquoi quand les Jets affrontaient les Sharks, ils ne profitaient pas que les autres faisaient des pas de danse pour les taper. Mes parents avaient quelques disques et parmi eux figurait justement le disque de la bande originale du film en 33 tours. Mon plus ancien souvenir musical est celui d'après-midi entiers que je passais allongé sur le canapé l'oreille collée à l'enceinte en suçant mon pouce et en regardant les photos de la pochette de *West Side Story*. Je conçois que ça puisse en dégoûter certains d'entre vous d'apprendre qu'en me suçant le pouce, je farfouillais l'intérieur de mes narines pour en extraire une matière que je prenais un plaisir infini à rouler avec

11

mon doigt sur la peau de mon nez, exactement à la façon d'un mini-pizzaiolo. Inlassablement je me demandais si je préférerais être membre des Jets ou des Sharks, même si mon choix se portait toujours finalement sur les Jets, et plus particulièrement sur le personnage de Tony, l'amoureux de Maria, joué par Natalie Wood. La même Natalie Wood qui, j'avais alors été abasourdi de l'apprendre dans les pages de *Télé 7 Jours*, avait été en couple dans la vraie vie avec l'acteur Robert Wagner qui jouait Jonathan Hart dans *L'Amour du risque*. Ce recoupement inattendu me semblait tout bonnement hallucinant, un peu comme quand, des années plus tard, j'appris que le réalisateur George Lucas était pote avec le chanteur Dick Rivers (vous pouvez vérifier, c'est vrai).

Mes parents avaient une centaine de disques à la maison, dont beaucoup de musique classique, mais je trouvais que leurs pochettes ressemblaient trop aux tableaux qu'on voit dans les églises pour me donner envie de les écouter. Ma mère adorait le classique, qu'elle écoutait le dimanche pendant que ça me mettait le cafard de ne pas avoir fait mes devoirs pour le lendemain, notamment à l'heure du thé « avec un nuage de lait ». J'ai toujours eu l'impression qu'il existe de la musique *nuage de lait* dont l'incarnation est pour moi la chanteuse Barbara. Chacun de ses morceaux me donne envie de demander un nuage de lait dans une tasse de thé le dimanche.

Plus jeune j'avais surtout écouté des disques comme *Pierre et le Loup* raconté par Gérard Philipe ou *Peter et*

Elliott le dragon raconté par Philippe Noiret, mais là je commençais à écouter ceux de mes parents dont je ne comprenais pas les paroles. Parmi eux, quelques 45 tours des Beatles que j'ai revendus en loucedé des années plus tard dans une convention de disques de collection pour m'acheter d'autres disques. (Je les ai vraiment laissés à un gars pour une bouchée de pain, et dix minutes plus tard un collectionneur qui voyait que je revendais quelques disques m'a dit « C'est toi qui as revendu pour 30 francs *When the Saints* avec Tony Sheridan ? Je t'en aurais donné 200 ! » et j'ai dû lui répondre quelque chose comme « C'est pas grave je fais pas ça pour l'argent ! » Pour crever ma petite boule d'amertume.)

J'adorais aussi le *best of* de Simon and Garfunkel et une compilation *Salut les Copains* sortie par K-Tel en 1983 que, des années plus tard, j'ai réussi à retrouver sur Internet grâce au souvenir de quelques-uns des titres inclus, et grande fut de nouveau ma joie de pouvoir réécouter ces titres entendus dans le même ordre. La compilation ne contient que des tubes comme « Happy Together » des Turtles, « Good Vibrations » des Beach Boys ou « Don't Make Me Over » de Dionne Warwick, mais encore aujourd'hui réécouter ces titres me donne une envie irrépressible d'aller dans le canapé de mes parents pour me faire une bonne séance de suçage du pouce. Je découvris très jeune que je pouvais être sensible non seulement à des titres mais à l'enchaînement précis de ces titres. J'en eus la confirmation en me mettant à saigner du nez des années plus tard quand, pour combler la place laissée sur un CD qu'elle me gravait avec ses chansons préférées, une copine m'avait mis la musique de la scène de la douche de *Psychose* pour terminer la compilation juste après un morceau de Nick Drake. Je fais comme si on utilisait encore beaucoup le mot « compilation » mais ce n'est plus vraiment le cas aujourd'hui et si je devais expliquer le mot à quelqu'un qui l'ignore, je dirais que c'est en quelque sorte une playlist qui ne peut pas évoluer. J'ai grandi avec mes parents, mes deux grands frères Tib (Thibault, six ans de plus que moi), Mat (Mathieu, cinq ans de plus) et ma petite sœur Marion (deux ans de moins), sur qui j'aimais bien taper chaque fois que je regardais un bon film de Bruce Lee (et j'avais un assez bon niveau en kung-fu selon le moi de l'époque).

La ville dans laquelle j'ai grandi en Seine-Maritime jusqu'en 1991 s'appelle Eu. C'est une ville connue des amateurs de mots croisés, et pour sa blague du maire d'Eu. Les gens qui faisaient cette blague sont un peu les ancêtres des gens qui disent spontanément « face de bouc » quand on leur dit « Facebook ». Eu étant une ville aussi rapide à visiter qu'à prononcer, j'ai passé le gros de la première partie de ma vie entre mon jardin et celui de mon ami d'enfance Mathieu Dormaels. Son grand-père Papou chez qui il passait tout son temps et qui était mon voisin direct était vétérinaire. Il lui apprenait mille choses sur les animaux, la navigation, et il avait un piano chez lui. Mathieu savait déjà très bien en jouer et suivait des cours de solfège (le pauvre). Je lui dois tant : c'est lui qui m'apprit à jouer avec un doigt le générique de *Mission Impossible* et « Au clair de la lune »,

14

qui sont encore aujourd'hui les deux seuls usages que je sache faire d'un piano (tout entier). Quand je suis seul face à un piano, je ne sais pas résister à la tentation d'aller chercher le Jerry Lee Lewis qui sommeille en moi et, n'y tenant plus, je me tape un bœuf tout seul au piano et je me joue un petit « Au clair de la lune » à un doigt. Sur *Mission Impossible*, il peut m'arriver de me tromper sur l'enchaînement d'une ou deux notes mais j'ai pu constater que quelles que soient les erreurs qu'on puisse faire en jouant le générique de *Mission Impossible*, ça passe toujours à peu près. Que vous fassiez *dong dong ding dang dong dong dang ging dong dong* ou *dong dong dang dang dong dong ding ding dong dong* c'est sensiblement la même chose et les gens reconnaissent toujours que c'est *Mission Impossible*.

Avec Mathieu Dormaels, nous fîmes des cabanes, et les 40 coups. Nous n'allâmes jamais vraiment jusqu'aux 400 puisque c'était plus de coups que la ville d'Eu ne pouvait en proposer. Pour donner une idée, notre seule expérience de larcin fut le vol d'une pomme Golden à l'étalage de l'épicerie à côté de chez moi. On avait 6 ans, on était des loubards, mais acceptables.

Pour ses 14 ans (j'en avais 8) mon frère Thibault se fit offrir un lecteur double K7 TDK qui permettait directement d'enregistrer les morceaux qui passaient à la radio. Les morceaux ne passaient jamais en entier et il y avait toujours la voix du présentateur au début ou à la fin du morceau qui disait « C'était "Captain of Her Heart" de Double ! Vous êtes toujours sur Europe 1… » après quoi on entendait un énorme clic provoqué par le doigt de Thibault appuyant sur le lecteur pour un nouvel enregistrement. Tib laissait perpétuellement le poste en position « enregistrement en pause » et désactivait la pause dès que la radio diffusait un morceau qui lui plaisait. Nous ne captions pas la bande FM à Eu, alors les chansons étaient enregistrées sur les grandes ondes, ce qui donnait l'impression d'écouter des chansons enregistrées par grand vent. Mais l'arrivée de ce lecteur double K7 fit malgré tout l'effet d'un boum technologique au premier étage de la maison. Ce qui me stupéfiait est qu'on pouvait parler pendant l'enregistrement sans qu'on nous entende. Jusqu'alors si Tib ou moi voulions enregistrer un morceau sur une cassette qui passait à la télé au Top 50, je devais tenir mon réveil enregistreur de cassettes à bout de bras devant la télé en faisant « chuuuuut ! » avec les yeux si quelqu'un entrait dans le salon. Dans la version enregistrée sur mes premières cassettes de « Don't Leave Me This Way » des Communards, on m'entend essayer d'invectiver mon frère en silence « MAIS HEYY !! Mais barre-toi làààà ça enregistre… MAIS BARRE-TOI !! Mais Mam ! Mat veut pas sortir du salon, j'enregistre !! » et partir en pleurant. Et si mon père, qui était un véritable goulu de Gitanes sans filtre, passait dans le salon avec une quinte de toux pendant un morceau, à chaque fois que je réécoutais ce morceau, j'entendais mon père essayer de retenir sa toux, avec parfois en prime la voix de ma mère qui disait « Lève !! Lève !! » parce que quand mon père n'arrivait plus à se sortir de ses quintes de toux, ma mère l'incitait toujours à lever les bras pour reprendre sa respiration.

Une super messe

Pour Noël j'avais eu un walkman et deux cassettes d'Ennio Morricone que je passais mon temps à écouter en me promenant dans la maison, ainsi que *Les Plus Grands Moments du synthétiseur*, composé de classiques de Jean-Michel Jarre, Art Of Noise, Vangelis et Giorgio Moroder, et la musique du *Flic de Beverly Hills*, cassettes qu'avait achetées ma grand-mère. Très vite, ma mère comprit que j'avais une sensibilité particulière pour la musique. Pourtant, en dehors des quelques disques qu'elle et mon père possédaient, nos goûts avaient peu en commun. Comme j'avais été baptisé et incité à faire ma première communion et ma profession de foi, je ne vais pas vous pipeauter, je dus beaucoup aller à la messe, et arriva ce jour paradoxalement béni où ma mère ne m'obligea plus à y aller. J'avais fini par lui donner assez d'indices pour qu'elle comprenne que ce n'était pas trop mon truc. Et dès lors, à chaque fois qu'elle revenait de la messe, son seul but était de me faire regretter de ne pas y être allé. « Eh bah tu as raté quelque chose ! C'était une super messe ! Il y avait plein de jeunes ! Il y avait un groupe qui jouait avec une batterie et une guitare ! Et le prêtre était super ! Il est super ce prêtre ! Il fait toujours des messes avec plein de jeunes ! » Je ne me souviens pas que de tout le temps où j'ai habité chez mes parents, ma mère ne soit pas revenue une seule fois de ce qu'elle aimait appeler « la messe des jeunes » sans essayer de me faire rager de ne pas y être allé. Et s'il y avait eu une batterie pour accompagner les cantiques, autant vous dire que c'était le pompon : elle garait la voiture dans le jardin après un grand dérapage, descendait de voiture et c'est presque moi qu'elle venait voir en premier pour dire « Bah t'as raté quelque chose mais tu veux jamais venir aux Rameaux ! Y avait plein de jeunes avec des branches de rameaux !! Il y avait un groupe de musique avec une batterie !! » Un groupe de musique !! Que n'avais-je pas raté là ? Il est évident que pour ma mère, la présence d'une batterie dans l'église était l'argument-massue grâce auquel j'allais être dégoûté de ne pas l'avoir suivie. « Et je peux te dire que ça y allait !! Il tapait fort sur sa batterie ! » Mais du plus loin que je me souvienne, il n'existe pas de messe ou de cérémonie religieuse à laquelle je rage aujourd'hui de n'avoir pas assisté (à part peut-être la multiplication des pains de Jésus, que j'aurais bien aimé voir de mes yeux, mais qui est moins à ranger dans la catégorie des messes que des performances boulangères). J'ai toujours trouvé les messes beaucoup trop longues. Très pragmatiquement, si un prêtre décidait de dire ce qu'il a à dire en collant plus les mots et en y mettant un peu du sien pour aller plus vite, l'affaire serait pliée en 35 minutes maxi. Je ne vais pas dire que c'est redondant les « Notre Père » et le moment où l'on dit « la paix du Christ » aux gens assis autour de soi qu'on ne connaît pas pour leur serrer la main, mais à la longue il y a vraiment un côté déjà vu. Je n'étais pas assez sûr de l'existence de Dieu pour trouver logique d'y consacrer une heure de mon temps chaque semaine. Et je n'ai jamais réussi à « prier » sans me demander au bout de deux minutes si je ne suis pas juste en train de parler tout seul dans ma tête. Sur le papier je vois très bien la différence entre « prier » et « parler tout seul dans sa tête », mais dans la pratique, absolument pas.

Europe, Bimbo Jet et Patrick Hernandez

Aussi loin que je me remémore mes passions musicales, je ne suis pas capable de déceler la moindre trace de cohérence dans mes goûts. Un morceau qui me marqua très tôt fut le titre « El Bimbo » du duo disco français Bimbo Jet, pourtant sorti en 1974, alors que je batifolais encore joyeusement dans les testicules de mon père. La pochette ne présentait que le nom du groupe dans un logo rouge et jaune, avec le titre de la chanson. Ce n'est que des années après sa sortie, vers mes 7 ans, que je découvris ce titre à la fois exaltant, festif et flippant dans son mélange presque mystique de joie et de mélancolie. Ce 45 tours a traîné des années chez moi, sorti de sa pochette qui avait fait l'objet d'un carnage au feutre par un de mes frères. Je retrouvais parfois le disque dans la chambre de Tib ou de Mathieu, ou près de la platine familiale. J'avais parfois l'impression qu'il disparaissait pendant des semaines. Et de temps en temps je le retrouvais encore plus rayé, je ne savais pas où il avait disparu, ce qui a dû contribuer à ce que je lui trouve un côté mystérieux. Mais il n'y avait rien de mystérieux là-dedans, c'est surtout parce que nous n'étions pas trop portés sur le rangement. N'ayant jamais parlé espagnol ni mexicain, j'ignorais la langue dans laquelle s'exprimait le « chanteur » sur le titre, qui était présenté en version instrumentale en face A et chanté en face B. Pendant les 4 minutes que dure ce morceau, dans un délire proche de l'apoplexie, il hurle après l'orchestre pour l'inciter à jouer de façon plus habitée encore. À 7 ans, je ne pouvais pas avoir conscience de l'existence de la cocaïne (j'avais juste compris grâce à la série *Deux flics à Miami* que ça se présentait sous forme de sachets blancs, et que c'était illégal) mais si on écoute le gars qui gueule pendant toute la chanson « El Bimbo » on peut se donner une bonne idée de la nature de ses effets. Tout le morceau durant, le gars est dans un état qui doit être celui dans lequel on se trouve juste avant un arrêt cardiaque. Le timbre surexcité qu'il adopte tout le morceau est presque un hommage appuyé à la drogue dure. Le morceau me fascinait. Il me mettait en joie autant qu'il me fichait un cafard irrépressible. Aujourd'hui encore, si j'écoute ce morceau en fermant les yeux, je me retrouve projeté dans une salle des fêtes. J'ai 4 ans, je suis à un mariage, tout le monde danse sur la piste et j'ai envie de rentrer. Une sorte de dépression me cueille instantanément. Sont-ce les arrangements ? Les chœurs ? L'impression de me faire engueuler en espagnol ? Le titre « El Bimbo » est sûrement le premier disque de ma vie que j'ai identifié comme de la musique latine, et pourtant une recherche sur Internet des années plus tard m'apprit que l'un des deux membres qui composaient le duo Bimbo Jet n'était autre que le fils du chanteur de « Petit Papa Noël », Tino Rossi, et que le titre était le plagiat total d'un chanteur afghan appelé Ahmad Zahir. Grâce à Professeur YouTube, des années plus tard, j'ai pu retrouver une performance télévisée du groupe qui date des années 1970, introduite par Guy Lux. On n'y voit pas un groupe à proprement parler, puisque seuls quelques hommes et femmes en habits amples dansent lascivement devant la caméra au rythme du morceau. On pense plus à une secte qu'à un groupe musical. Hélas le mystérieux chef d'orchestre au caractère bien trempé n'apparaît pas à l'image dans ce passage télé, probablement caché derrière la scène à hurler des insanités corso-afghanes traduites en espagnol dans son micro, devant une table où sont parallèlement disposées une multitude de lignes de cocaïne. Et à chaque couplet bim ! il y remet le nez ! J'appris plus tard que le Bimbo Jet avait sorti un autre titre dans la foulée de « El Bimbo ». Ce titre s'appelle « La Balanga », et à part qu'il est plus rapide, il sonne comme une resucée au millimètre du morceau précédent. Avec le même fou qui vitupère dans le micro. Il existe également une captation de ce morceau enregistrée à la télé française disponible sur YouTube. Le fou n'apparaît pas davantage à l'image. C'est encore Guy Lux qui assure le lancement de la performance sur le plateau, mais cette fois-ci en compagnie de Christian Morin, un des premiers présentateurs de *La Roue de la fortune* qui se trouve également être un as de la clarinette, même si je n'ai jamais eu envie de vérifier.

La première fois que j'ai entendu « Born to Be Alive » de Patrick Hernandez j'ai presque eu envie d'étreindre mes parents pour les remercier de m'avoir fait naître sur une planète où on pouvait entendre un truc aussi génialissime. Était-il possible qu'une musique fût plus mélodieuse, plus moderne et plus addictive ? Et, tout compte fait, peut-être que la vie c'est ce qui mûrit entre la première fois que vous entendez « Born to Be Alive » et ce que vous en pensez aujourd'hui. Le parcours de vie d'une personne se comprend à l'aune de l'évolution de son avis sur « Born to Be Alive ». D'ailleurs, on n'en sait rien mais si ça se trouve, Patrick Hernandez a défini avec un magicien ou un chaman le nombre de fois précis après lequel on ne pourra plus entendre ce titre sans avoir envie de se suicider. On ne sait pas, ce n'est pas encore arrivé, mais peut-être qu'un jour, il y aura des vagues de suicides dans les boîtes de nuit, les mariages et les baptêmes, et on comprendra qu'en fait ce sont des gens qui ont entendu « Born to Be Alive » une fois de trop. La voix qui chante du nez « ay ay ay !! » les gens n'en pourront plus, ils voudront mourir instantanément et se tronçonneront l'artère fémorale. Peut-être qu'un jour un animateur de Chérie FM va mourir en direct juste après avoir dit « c'était "Born to Be Alive" et… argh !! » Une sorte de scénario fou à la *Mars Attacks* mais avec « Born to Be Alive » à la place de la chanson yodel qui tue les Martiens.

L'unique frère de ma mère avait repris le commerce de fleurs familial (« Tout pour la fleur ») en plein centre-ville d'Eu et j'enviais presque mes cousins Sylvain et Pierre-Antoine d'être fils de commerçants, ce qui leur conférait automatiquement le statut de semi-célébrités. Je ne crachais pas non plus dans la soupe, m'octroyant ainsi le statut logique de cousin de semi-célébrités, mais ils avaient plus d'argent de poche que moi, et en tant que fils de commerçants, ils voyaient plus souvent que moi ce que j'imaginais être de « grosses sommes d'argent liquide ». Un jour, alors que je rentrais de l'école, je croisai Sylvain (de qui parler avec des gens dans la rue semblait être l'activité principale), qui m'invita à faire un petit détour avant de rentrer chez moi, car *j'allais voir ce que j'allais voir*. Le détour en question ne me rallongerait le chemin que de deux pâtés de maisons, et quand nous arrivâmes devant l'hôtel des impôts, que je tenais pour un des plus beaux immeubles de toute la ville, Sylvain m'arrêta et me dit d'attendre avec lui, et de lever les yeux. Il devait être 17 h 30, la nuit commençait à tomber, nous étions devant la belle façade du fisc, et nous vîmes son frère Pierre-Antoine sortir la tête par une des fenêtres du dernier étage. L'immeuble était fermé. Sylvain me rassura en me disant que Pierre-Antoine était chez sa petite amie qui habitait au-dessus de l'hôtel des impôts. Pierre-Antoine siffla extrêmement fort et extrêmement aigu en serrant les lèvres autour de ses dents de devant comme je n'ai jamais réussi à le faire et s'écria « Écoutez ça les gars ! » dans son fort accent picard.

Dans la nuit froide et fiscale de novembre retentit alors la plus doucereuse mélodie qu'il m'avait été donné d'entendre jusqu'alors : les notes de trompette de l'introduction de « The Final Countdown » de Europe, car je pensais alors que c'était une trompette. Le reflet orangé de la lumière des lampadaires de la place scintillait dans les fenêtres de l'hôtel des impôts. Pierre-Antoine avait ouvert grand les fenêtres et mis la stéréo à un volume invraisemblable, qui nous mettait peut-être au seuil de la légalité. Je goûtais le sel même de la vie, j'étais jeune, je vivais des choses folles, et gardez bien en tête que je n'avais que 10 ans. J'eus un coup de cœur instantané pour le morceau de Europe même si j'en garde aussi pour toujours ce souvenir administratif. Peu de temps après cette expérience de découverte quasi chamanique du hard FM, je m'empressai d'aller au Prisunic local pour examiner la pochette du 45 tours (que je n'avais pas les moyens d'acheter). Le visuel choisi pour illustrer la pochette de « The Final Countdown » n'était autre qu'une image des cinq membres du groupe. Leurs chevelures énormes couvraient un bon quart de la photo. Il n'y a guère que dans la presse animalière qu'on pouvait voir tant de poils en une seule photo. Ignorant déjà tout du monde de la coiffure, je fus stupéfait par ma déduction que les cinq membres du groupe avaient dû commencer à se laisser pousser les cheveux exactement au même moment, ce qui avait dû impliquer toute une organisation en amont.

Otage du jazz

Je ne peux pas aller jusqu'à dire que je suis hermétique à tout ce qui existe en jazz, mais le mot « jazz » est marqué à vie pour moi par un moment que je n'oublierai jamais. J'étais enfant et nous étions chez Annick et Hubert, des amis de mes parents. Hubert était un véritable dingo de jazz. C'était tout simplement « un zinzin du jazz ». Je peux pas vous dire mieux que « ce gars-là c'était un maboul du swing ». Bref, j'étais en train de ne pas écouter leur conversation d'adultes quand d'un coup je vis Hubert porter son attention sur la musique qui était en train d'être jouée (de mémoire je dirais du jazz swing, deux mots qu'il faut que je tâche de ne plus réutiliser jusqu'à la fin de ce paragraphe), et il commença à éclater de rire de sa voix de grand fumeur et à dire « Alors ça j'adore ha ha c'est formidable ça ». Et soudain il se mit à émettre des petits sons « beed'dep !! beee dooo !! » pour accompagner la musique. Puis il posa les yeux sur moi et commença à bouger ses index de chaque côté de sa tête, comme s'il était chef d'orchestre d'un big band. Et comme pour m'inciter à entrer dans ce que j'imaginais être une sorte de transe du jazz, il faisait des petits bruits sur la musique genre « tchoubidou ouap, ouap ! ded'up !!! » J'étais embarrassé par ce que je dois bien appeler la malice de ses yeux, qui me regardaient comme s'il venait de me poser une devinette dont je n'avais pas la réponse, il bougeait en rythme et répétait tout bas « C'est formidable, ça ». Je ne savais pas trop où me mettre, j'étais gêné, j'avais l'impression d'être otage du jazz. Mes parents assistaient à ça, silencieux, connaissant le fondu de jazz qu'était Hubert, se regardaient en souriant comme s'il s'agissait d'une sorte de dépucelage musical par lequel il fallait que je passe, et ils laissaient faire, s'adressant des clins d'œil complices (que je voyais) qui voulaient dire « Tiens ça sent le jazz on dirait bien qu'Hubert est en train d'essayer de transmettre sa passion du swing à Thomas ! » Alors que non pas trop, ils me laissaient juste moisir dans une sorte de gêne, et une gêne jazzy je peux vous dire. Le problème est que chaque fois que j'entends le mot « jazz » aujourd'hui j'exagère à peine en disant que j'ai le visage d'Hubert qui apparaît pour me faire des « ziiiip bèèèp bèèèè lop » au creux de l'oreille. Pourtant, à de nombreuses reprises dans ma vie j'ai voulu moi aussi m'initier aux plaisirs du jazz. Mais je crois que ça m'intimide. Par exemple, je dois bien avouer que je rêve d'être fan de John Coltrane. Ceux qui en parlent ont vraiment l'air d'apprécier et je trouve son nom tellement classe à dire : John Coltrane. Moi aussi j'aimerais dire « J'adore Coltrane ». Mais à chaque fois que j'essaye d'écouter un album du début à la fin, j'ai l'impression d'être le Blanc qui veut faire son Noir et que c'est au moins aussi technique que de devoir escalader une montagne. Alors disons que John Coltrane, « j'aime surtout de nom ». Les gens qui en parlent en parlent souvent très bien, ils me donnent envie d'aimer et à chaque fois, pareil, je me prends un mur. Bon je ne veux pas non plus me faire passer pour plus idiot que je ne suis, j'avoue il y a des trucs que j'aime bien, « en jazz ». Par exemple j'adore le *Köln Concert* de Keith Jarrett, même si apparemment c'est un peu le *Money for Nothing* de Dire Straits du jazz (l'album que tout le monde possède). Et paf ! voilà même qu'en disant qu'« il y a des trucs de jazz que j'aime bien », j'ai déjà l'impression qu'il y a des gens qui pensent que je ne suis pas sincère, que c'est une posture, et je ne leur en veux pas : j'ai un peu le même problème.

Télé 7 Jours

Le mercredi, ma mère aimait beaucoup nous emmener à la bibliothèque, mais au bout d'un moment j'avais épuisé toutes les BD. Je préférais largement le jeudi qui était le jour où ma mère revenait avec le *Télé 7 Jours* annonçant les programmes télé de la semaine suivante et se terminant toujours par les annonces immobilières de l'énigmatique Catherine Mamet. En une lecture, j'engloutissais les interviews de Tom Selleck ou des mecs de *L'Agence tous risques*, chez qui la journaliste Isabelle Caron se rendait en chair et en os « à Hollywood », comme il était toujours précisé. Ça me semblait absolument hallucinant. Il y avait une fille dont le métier était d'aller chez les gars de *L'Agence tous risques* et de leur parler, car oui, ma grand-mère m'avait bien confirmé qu'il s'agissait de son « métier ». Et elle posait pépouze dans le journal avec Mister T. ou les gars qui jouaient Futé ou Looping !! À ce stade de ma vie, je ne pouvais pas imaginer de situation professionnelle plus confortable. Le soir même de l'arrivée du nouveau *Télé 7 Jours* au foyer, j'étais déjà capable de dire quel film passerait sur quelle chaîne n'importe quel jour de la semaine suivante. J'étais un peu l'équivalent de Dustin Hoffman dans *Rain Man* mais en plus jeune et avec les grilles de programmes à la place du calcul mental. Surtout, ne pas être en âge de regarder les films en question (sinon ceux qui passaient le mardi soir et les programmes du samedi) ne m'empêchait absolument pas d'apprendre par cœur les castings, et réciter de mémoire que « *Le Prix du danger* est un film d'Yves Boisset avec Gérard Lanvin, Michel Piccoli et Marie-France Pisier » n'était absolument pas un problème pour moi. J'étais celui qu'à table on consultait pour connaître les émissions du soir, j'en tirais une grande fierté, relativisée aujourd'hui par le souvenir qu'il n'y avait que trois chaînes. Peu après je me suis même abonné aux fiches de *Monsieur Cinéma* de Pierre Tchernia, qui n'étaient ni plus ni moins que des fiches en papier glacé, qui proposaient des résumés de films avec leur casting et des anecdotes de tournage, et dont une offre d'abonnement à l'essai était proposée dans *Télé 7 Jours* pour 2 francs seulement. Ni une ni deux, je donnai une pièce de 2 francs à ma mère, en échange de quoi elle me remit un chèque de 2 francs libellé à l'ordre de Pierre Tchernia. Quand les fiches m'arrivèrent par la poste, elles étaient emballées sous un blister plastique qui, une fois déchiré, laissa échapper un délicieux fumet de fournitures scolaires neuves. Quelques mois plus tard, à la braderie de Lille, j'achetai même un lot de 300 fiches pour 50 francs seulement à une personne qui les vendait dans trois boîtes de rangement prévues à cet effet. Car non seulement Pierre Tchernia vendait les fiches mais il avait aussi prévu les boîtes qui allaient avec ! Je n'avais jamais autant eu l'impression de faire une bonne affaire. Il y avait même les intercalaires qui permettaient de trier les films selon leur style : *On achève bien les chevaux* de Sydney Pollack était ainsi rangé en « drame », *La Féline* de Paul Schrader en fantastique, et *Adieu Poulet* dans les films policiers. Je n'avais vu aucun des films en question mais au moins savais-je que c'était dans ces catégories qu'ils se rangeaient. J'avais presque de la peine que le gars qui me vende les trois boîtes de fiches ne se rende pas compte de ce qu'il vendait.

Parce qu'il proposait chaque semaine en avant-première le nouveau classement du Top 50, *Télé 7 Jours* fut aussi mon premier magazine de musique. Chaque semaine je consultais les sorties et les entrées avec une méticulosité d'universitaire. C'est aussi en lisant *Télé 7 Jours* que j'appris que Desireless, la chanteuse qui venait de sortir la chanson « Voyage, voyage », avait longtemps habité au Tréport... à deux kilomètres de chez moi ! Il me fallut de longues semaines avant de digérer cette information. Comme j'habitais une

« artère » « relativement passante » de la « ville », il y avait nécessairement des chances qu'elle soit déjà passée devant ma maison ! Le magasin de fleurs de mon oncle était l'un des plus réputés des trois villes sœurs (c'est comme ça qu'on appelle les trois villes collées d'Eu, de Mers-les-Bains et du Tréport). Quel genre de chipoteur fallait-il être pour imaginer qu'elle n'y soit jamais passée acheter un bouquet ? Alors pour vous aujourd'hui ça ne représente rien, mais pour moi à l'époque c'était absolument fou de me dire « Desireless est probablement passée là ». Ma mère me raconta même que Gérard Depardieu était aussi venu au Tréport avec Patrick Dewaere tourner des scènes de *Préparez vos mouchoirs* et pareil, je me demandais par quelle route ils étaient arrivés, et si ça les avait obligés à passer devant chez moi.

La passion de la prise de notes

Un jour, avec ma mère encore une fois (on traînait pas mal ensemble quand j'étais petit), nous vîmes Marc le fils d'Hubert (« beeee bop ! ») le nez dans la vitrine du magasin de hi-fi et électroménager de la rue de Normandie à Eu. Le soir même, sa mère Annick était chez nous pour prendre un café, comme toujours. Elle nous expliqua qu'en ce moment, Marc souhaitait s'acheter un « walkman ». Le mot semble préhistorique aujourd'hui mais je ne sais pas si vous vous rendez bien compte qu'on pouvait écouter des cassettes dans la rue avec ce truc. Annick précisa qu'avant de faire son achat, Marc avait pris « un carnet et un crayon pour regarder les différents modèles dans les magasins, et faire sa petite étude de marché ». Que n'avais-je pas entendu là ! Une « étude de marché » ??? Je ne savais pas de quoi on me parlait, mais ce mot était presque de la musique pour mes oreilles. Je ne pense pas que c'est pour ce que m'évoquaient le mot « étude » ni le mot « marché », mais l'expression « étude de marché » – mon Dieu – me donna envie, et immédiatement j'eus un désir pressant de faire des « études de marché ».

Le mercredi suivant j'avais la journée pour moi et pas une minute à perdre. Sans attendre, muni moi aussi d'un carnet et d'un crayon, j'annonçai de but en blanc à ma mère le projet que j'avais pour la journée : j'allais faire une étude de marché, ma décision était prise, rien ne me ferait revenir dessus. Ma mère me demanda précisément ce que je comptais acheter et le marché que j'avais prévu d'étudier pour la journée. Je lui répondis que je n'avais rien prévu d'acheter de spécial, que je voulais juste commencer par faire une étude de marché. Amusée, elle me répondit que ça ne servait à rien de faire une étude de marché si je ne savais pas ce que je voulais acheter. Mais il en fallait plus que ça pour me démotiver. Elle allait voir ce qu'elle allait voir. Bouillant comme jamais, je fonçai dans les rues d'Eu (en commençant par la rue de Normandie) pour faire mon étude de marché. Je regardai les prix de différentes choses dont je n'avais ni vraiment envie, ni vraiment besoin, mais notai *tout de même* au crayon de bois divers « prix de choses » sur un carnet. Au bout d'une heure je commençai à me démotiver un peu sur mon projet. Je trouvai le concept finalement trop vague. Je compris que ce qui m'avait induit en erreur et séduit dans le concept de l'étude de marché était de voir Marc prendre des notes ! J'avais cru me passionner pour les études de marché, en réalité c'est de la prise de notes que je voulais faire ! Noter des choses sur un petit carnet pour ne pas les oublier, je trouvais ça formidable, il n'était pas né de la dernière pluie le gars qui avait eu en premier l'idée de faire ça ! En fait ce qui me faisait rêver, c'était d'avoir un petit carnet pour avoir des choses à y écrire. Je rêvais de prises de notes. Mais que noter ?

Découverte de Queen

Une fois par semaine ma mère emmenait l'un de nous pour l'aider à faire les courses chez Leclerc, qui était moins cher que Mammouth même si, précisait-elle toujours aussi, le poisson était quand même moins cher à Mammouth. Mais c'est déjà un détail de l'histoire que vous pouvez oublier car même

si les poissons étaient réellement moins chers à Mammouth, je n'ai pas prévu d'en reparler.

Cette semaine, c'était Thibault et moi qui accompa-
gnions ma mère dans ce qui était à mes yeux, ça ne
faisait absolument aucun doute, notre magnifique
R25 GL. Quelques jours avant, Thibault était revenu de
Düsseldorf où il était allé passer son premier séjour de
deux semaines chez son correspondant allemand Markus
(qui allait venir l'année suivante).

Thibault mit dans l'autoradio une des deux cassettes
que Markus lui avait copiées, et je trouvai le morceau
trop farfelu pour être bien du premier coup, le chanteur disait « scaramouche » et « mamma mia ». Je me
souviens très exactement avoir fait les trois kilomètres
qui nous séparaient du Leclerc en voiture à pester
contre Tib et sa cassette de Queen, mais en réalité
quand on est arrivés sur le parking du supermarché il
me semblait bien qu'au fond je trouvais ça super. Je
disais depuis trois kilomètres que c'était nul pour
mettre ma cassette et ne pas perdre la face, mais trois
kilomètres avaient été assez pour que je finisse par trouver ça merveilleux.

Monsieur Cinéma

Avant d'avoir 12 ans, n'ayant jamais imaginé que je
deviendrais fan de musique rock, je pensais vraiment

que je ne resterais que « fan de cinéma », que c'était l'un ou l'autre, que ça ne pouvait pas être les deux en même temps. Quand je dis « fan de cinéma », je précise que j'aimais regarder des films (*La Grande Vadrouille, La Chèvre, Les Morfalous*…). Mais autant sinon plus que regarder des films, j'aimais m'informer sur les films. J'apprenais par cœur les noms des réalisateurs et les castings de films dans mes fiches de Pierre Tchernia, et j'étais également abonné au mensuel de cinéma *Première* qui, lui aussi, offrait chaque mois huit « fiches-films » avec le visuel de l'affiche au recto et des infos au verso. Que de fiches à tripatouiller ! Malheureusement les fiches de *Première* étaient beaucoup plus petites que celles de Pierre Tchernia, elles pouvaient donc être rangées dans les boîtes de fiches Pierre Tchernia mais elles se baladaient dedans et ça me turlupinait. Je réfléchis donc des heures durant à l'offre de *Première* qui permettait d'acheter des boîtes à la bonne taille pour ranger leurs fiches, me demandant si ça valait vraiment le coup d'avoir deux formats différents de boîtes de fiches-films. Je décidai de ne jamais les commander.

J'aimais découvrir des anecdotes de tournage et des histoires sur les acteurs et je commençai à mémoriser des informations impossibles à retenir juste en espérant qu'un jour au Trivial Pursuit je tombe sur la question : *Comment s'appelle la chef costumière de* Rain Man *?* et pouvoir dire « Bernie Pollack ». Ne me demandez pas pourquoi je me suis toujours rappelé qu'elle s'appelle comme ça. Savoir que Johnny Hallyday avait partagé l'affiche avec Orson Welles – dans *Malpertuis* – me comblait plus que de voir le film en question (film qui figure toujours sur ma « liste de films à voir » à l'aube de mes 44 ans – et dont j'ai le DVD depuis vingt ans). Si dans la vie, j'entends une conversation qui dérive sur le film *Malpertuis* (ce qui, je le concède, implique vraiment d'être au bon endroit au bon moment), ça reste l'unique information que j'ai à donner à son sujet : « Y a Johnny Hallyday dedans ! Dans le même film que Orson Welles ! C'est fou non ? » J'en profite généralement pour préciser que Dick Rivers était pote avec George Lucas. Ma mère disait beaucoup à ses amies que j'étais un « fou de musique et de cinéma » et que je tenais beaucoup d'elle. C'est elle qui me souffla l'idée qu'il fallait absolument que je m'inscrive au club théâtre du collège. L'idée me titillait mais une partie de moi était encore un peu récalcitrante à cause du souvenir de la fois où j'étais allé voir mon frère Mathieu participer au spectacle de fin d'année avec ce même club théâtre. Il était déguisé en mousquetaire et c'est lui qui faisait office de Monsieur Loyal. Alors qu'il était lancé en pleine présentation devant les deux cents parents d'élèves présents dans la salle des fêtes de Criel-sur-Mer, Mat sombra d'un seul coup dans un fou rire (dont il nous dit plus tard qu'il était dû au fait qu'il venait de voir un de nos cousins dans la salle, affalé dans son fauteuil et à deux doigts de s'endormir). Le fou rire dura bien cinq minutes, à chaque fois qu'il essayait de reprendre le fil de son discours il repartait de plus belle. Alors oui, j'aimais la musique et le cinéma, mais quelque chose m'empêchait de rêver pour de bon à une carrière de chanteur ou de comédien : comment faire si, lancé au milieu d'une scène ou d'une chanson, je m'écroulais de rire ? Cette question m'obnubilait sérieusement comme un enfant myope qui rêverait d'être pilote de ligne. J'étais limite étonné de voir que les chanteurs n'avaient jamais de fou rire à la télé. J'avais l'impression que c'était la seule chose qui pourrait m'empêcher d'exercer ce métier, que je serais incapable de sortir de mon fou rire. Alors au cas où ça me prendrait un jour, je commençai à lister mentalement tout un tas de façons de retrouver mes esprits, comme penser à des choses très tristes (disparition d'un proche) ou très graves (attaque de piranhas).

J'ai rêvé d'Internet

J'écoutais le *Greatest Hits* de Queen en boucle depuis quelques mois et grâce à une forte rentrée d'argent (deux voire peut-être trois cinquantaines de francs), je pus commander à Musiclub (le disquaire d'Eu) les cassettes des deux premiers albums, *Queen 1* et *Queen 2*, qui furent les deux premiers albums de Queen que j'eus officiellement avec la pochette, et grâce auxquels je pouvais enfin découvrir les vraies têtes des gars du groupe (surtout grâce à la pochette de *Queen 2*, sur laquelle ils figurent tous les quatre) et leurs noms, qui étaient précisés à l'intérieur : Freddie Mercury au chant, Brian Harold May à la guitare, Roger Meddows Taylor à la batterie et John Deacon à la basse. Ils n'avaient pas du tout la tête que j'avais imaginée. Quelques semaines plus tôt, à Butgenbach dans les Ardennes belges où nous partions en famille faire du ski (de fond, « hélas » pensais-je à l'époque), on écoutait constamment la compilation de Queen en famille, et j'étais clairement devenu accro à certains titres, mais n'ayant aucune idée de la tête du chanteur, je lui avais imaginé une tête voisine de celle du correspondant allemand de mon frère (blond en brosse) à qui j'avais ajouté des lunettes. J'écoutais donc Queen en imaginant le chanteur avec la tête d'un adolescent germanique. Comme « Don't Stop Me Now » sur le *Greatest Hits* me faisait beaucoup penser à un titre de *West Side Story* (à cause du break dans le morceau qui fait « *Don't stop me, don't stop me, don't stop me hey hey hey !* » qui sonnait comme du pur Jets selon moi), j'avais aussi une mise en scène pour mon clip mental du titre, qui me faisait imaginer le correspondant de mon frère dansant des chorégraphies dans les rues de New York en chantant « *I'm having such a good tiiime* ». La pochette de *Queen 2* me prouva donc que j'étais assez loin du compte, il n'y avait aucun blond en brosse dans le groupe. Je pouvais enfin voir leurs têtes mais le problème était désormais de savoir qui faisait quoi sur la pochette. Je voyais bien qu'ils étaient quatre, mais comment savoir qui était le batteur et qui était le chanteur ? Les mois suivants, j'ai donc écouté Queen en imaginant jouer un groupe composé des quatre têtes de la pochette, mais avec la tête de Freddie Mercury à la batterie (car je lui avais imaginé une tête de batteur), et celle de Brian May au chant.

Il existe des pressages différents du premier *Greatest Hits* de Queen (selon le pays où il a été fabriqué) mais sur tous ne figure pas « Under Pressure », le titre anthologique que le groupe enregistra en duo avec David Bowie. Comme il est sur le pressage allemand, il figurait en dernier morceau de la version que Markus avait copiée pour Tib mais pas en entier, malheureusement la cassette s'arrêtait après 2'16" du morceau, et à chaque fois que je l'écoutais, j'étais frustré que le morceau se coupe sans jamais en connaître la fin. Raconter ça à l'heure de YouTube et Spotify me donne quelque peu l'impression d'avoir connu le Moyen Âge de la consommation de musique. Quelques mois plus tard, j'allais carrément acheter par correspondance des cassettes vidéo de compilations de clips solos de Freddie Mercury et de Roger Taylor (introuvables à l'époque) repiquées de diffusions TV, confectionnées par un collectionneur hollandais. L'ancêtre de YouTube ce sont des copies de copies de copies de cassettes vidéo qui voyageaient par la poste entre la France et la Hollande. J'ai passé mon adolescence à rêver de l'existence de quelque chose, sans savoir ce que c'était. Des années plus tard, j'ai compris que c'était Internet. Tel le docteur Emmett Brown dans *Retour vers le futur* avec sa vision du convecteur temporel, j'avais eu l'idée d'Internet avant même que ça existe si l'on met de côté toutes les questions techniques. En tout cas, si je n'en avais pas eu l'idée, j'avais très envie qu'un tel truc existe.

TDK 60 min ou BASF 90 min ?

En 1988, j'étais en cinquième et un nouveau est arrivé dans ma classe en cours d'année. Nicolas Blondiaux portait une veste au dos de laquelle il y avait un gros patch AC/DC et il m'expliqua que c'était sa mère qui lui avait cousu dessus. Il avait acheté ce patch au marché d'Eu (sur un stand qui, compris-je alors, était situé à 50 mètres de l'emplacement où mon oncle vendait ses fleurs). Mais surtout, il m'expliqua qu'AC/DC était le groupe préféré de son père qui travaillait à la Société Générale. Il avait plein de disques chez lui et quand je lui dis que j'adorais Queen, il me dit qu'il avait le *Greatest Hits* de Queen en 33 tours chez lui. Je compris que j'allais enfin pouvoir mettre un terme à ma quête. J'allais enfin mettre la main sur mon arche d'Alliance : la fin de « Under Pressure ». Le lendemain il arriva avec une cassette sur laquelle il avait copié le morceau en entier et j'aurais moi aussi fait la même chose si j'avais dû me faire des amis dans une nouvelle école. Le soir venu, sur mon radio-réveil lecteur K7, pour la première fois j'écoutai « Under Pressure » jusqu'au bout, et comme j'avais entendu des centaines de fois le morceau s'arrêtant après 2'16", j'eus un peu de mal à me faire à la fin du morceau que je n'avais pas du tout imaginée comme ça. À peu de chose près, je regrettais que le morceau continue après. Pendant quelque temps, je gardai un avis bien tranché sur « Under Pressure » : « Je préfère le début du morceau. »

Blondiaux était fan de hard rock et je dois dire qu'à cet âge ma connaissance du genre n'était encore que très parcellaire. La première fois que j'ai vu écrit « Motörhead » sur un tee-shirt, il n'y avait aucun doute pour moi qu'il s'agissait d'une marque de moto (genre Harley, en tout cas vraiment une grosse moto), alors qu'il s'agit bien, et je précise ça pour ma mère, du groupe de Lemmy Kilmister. Un jour Blondiaux m'invita à passer le mercredi après-midi chez lui, ce fut une orgie de Chocostar, de Pim's, de Milka et, en mangeant, je fus véritablement abasourdi tant par sa collection de disques que par sa mère nous laissant taper sans limite dans l'armoire à goûters. Son père avait bien une cinquantaine de 33 tours de blues et de hard rock, et Blondiaux devait bien avoir dans les 80 ou 90 CD dans sa chambre avec un lecteur laser, c'était à en perdre la tête. Il se mit à me parler de ses groupes préférés, AC/DC, Metallica, Iron Maiden, Guns N'Roses et Megadeth dont il avait tous les albums en CD. J'étais stupéfait de voir ces discographies entières de groupes que je ne connaissais pas et dont j'étais juste capable à la vue des pochettes de dire que c'était du hard rock et que les gars qui en faisaient partie devaient forcément être un peu zinzins. J'avais aperçu ce genre de personnages qui secouent leurs canettes de bière sur scène dans l'émission *Les Enfants du rock* que j'avais vue à la télé. Mais les premières fois que j'étais tombé dessus, je m'étais dit que ce ne pouvait être autre chose que des sauvages. Pardon mais à 8 ans, je voyais quelqu'un avec les cheveux verts, je changeais de trottoir. En quelques mois, Blondiaux devint l'architecte de mes goûts et de ma collection de cassettes. Il me copia les deux albums de AC/DC *Highway To Hell* et *Let There Be Rock* sur une cassette de 90 minutes, et l'un de mes objectifs principaux devint de me procurer un maximum de cassettes vierges pour augmenter ma collection de cassettes. Les cassettes vierges BASF ou TDK étaient vendues par paquet de deux ou cinq cassettes dans des rayons qui leur étaient spécialement dédiés dans les magasins. Chaque boîtier contenait la cassette, et une jaquette vierge, avec sur la tranche la place pour y écrire le nom de l'artiste, et elles contenaient aussi des lignes pour écrire les noms des morceaux. Je m'appliquais vraiment le plus possible à ne faire aucune rature pour que, mises les unes à côté des autres, les cassettes donnent l'impression d'être à la Fnac. J'écrivais au stylo bleu les noms des artistes en lettres majuscules et franchement ça en jetait. J'avais également trouvé géniale l'idée de Blondiaux d'utiliser les doubles-décimètres avec des pochoirs de l'alphabet pour que la police soit uniformisée, malheureusement je n'avais pas de double-décimètre-pochoir alors je fis ça tout seul comme un grand. Un jour je découvris la collection de cassettes du pote de mon frère Cyril Duc et j'en restai comme deux ronds de flan. Cyril avait collé une espèce de sparadrap blanc sur la tranche même des boîtes de cassettes, non pas sur la jaquette mais sur le boîtier en plastique de la cassette (!), et les noms des groupes étaient tous écrits au marqueur noir directement sur le blanc du sparadrap. Hyper inspiré par cette organisation, à bloc, le soir en rentrant chez moi je découpai 30 petites bandes de papier blanc de la taille exacte de la tranche de la boîte d'une cassette et, armé d'un gros marqueur noir, je repris complètement à zéro le design de ma collection de cassettes copiées.

Même en achetant mon premier lecteur CD en 1991, je continuerais à écouter beaucoup de cassettes, n'ayant pas les moyens d'acheter tous les CD que je voulais et étant obligé d'en copier beaucoup. Jusqu'en 1995 j'ai écouté principalement des groupes qui faisaient des albums de moins de 45 minutes car je pouvais mettre deux albums sur une cassette de 90 minutes. Je préférais les 90 minutes aux cassettes de 60 minutes car dans mon souvenir elles étaient moins chères à la minute. Privilégiant la quantité à la qualité, je préférais deux albums moyens de 42 minutes à un bon album de 50 minutes. Si on me prêtait un CD de 47 minutes, il fallait que je réfléchisse à la chanson de 3 minutes que j'allais mettre sur l'autre face, qui ne pourrait dès lors être complétée que par un autre album de 42 minutes environ. Ça n'a l'air de rien pour vous mais ces calculs ont représenté l'essentiel des préoccupations de mon adolescence, si l'on met de côté les alors inaccessibles filles. Remplir une face A me

mettait au défi de rentabiliser au mieux la face B, parfois au mépris de toute cohérence. Un jour Blondiaux
me copia l'album *Seasons in the Abyss* de Slayer sur une
face de 45 minutes. Si vous ne connaissez pas Slayer
imaginez-vous juste un groupe très très brutal. Au lieu
que j'essaye de vous décrire leur musique, dites-vous que
ma mère tiendrait environ cinq secondes de Slayer,
quel que soit le morceau. Eh bien comme on m'avait
prêté l'album *Religion* de Niagara en CD que j'aimais
bien aussi et qui faisait pile moins de 45 minutes, je
m'étais retrouvé avec une cassette de Slayer/Niagara.
On ne pouvait aller plus loin dans la cassette schizophrène. Il est rare d'être des deux humeurs successivement requises pour enchaîner un album de Niagara
après un album de Slayer, et si vous avez chez vous une
cassette Mozart/Bernard Lavilliers, vous savez de quoi
je parle.

Blondiaux m'avait parlé de magazines spécialisés
dans le hard rock. Quand mes finances me permettaient d'acheter les mensuels de cinéma *Studio* ou *Star-
fix* pour assouvir ma passion de la mémorisation de
nouveaux castings de films, je n'avais jamais remarqué
que le rayon au-dessus était consacré aux magazines de
musique. Refait financièrement après un vide-greniers
où j'avais vendu pour 60 francs de choses qui traînaient
dans ma chambre (et dans la maison), je m'achetai
donc pour la première fois deux magazines de hard
rock (*Hard Rock Magazine* et *Hard Force Magazine*), en
découvrant par chance que chacun consacrait un article
à Queen qui a toujours réussi à se frayer une place

d'honneur dans la presse hard rock grâce à la tignasse et aux compositions du guitariste, qui figurent parmi les plus énervées de la bande. L'un des deux articles était une histoire détaillée du groupe sur 4 pages, et sa lecture coïncida exactement avec le moment où la prof de musique du collège nous demanda de faire un exposé en sujet libre et elle ne s'étonna pas de me voir choisir Queen comme sujet étant donné que leur nom était écrit en gros sur ma trousse. Je recopiai donc l'article, que je lus mot pour mot devant la classe sans en changer la moindre virgule. Épatée, la prof me mit un remarquable 17/20.

Premier chagrin d'amour

En une de *Hard Rock Mag*, je découvris l'existence de Mötley Crüe, l'un des groupes les plus décadents de toute l'histoire de la Californie et du rock américain, dont je ne mis pas longtemps à comprendre que le style de vie était diamétralement opposé à celui de mon cercle familial. Il suffit de voir n'importe quelle photo de Mötley Crüe pour déduire que c'est un groupe qui, comme dirait Patrick Sébastien, aimait faire la fiesta, mais une fiesta tournée vers l'univers des groupies, de l'alcool et de la drogue dure. Pour la première fois, je remarquais en lisant mon magazine dans les transports en commun que plusieurs personnes portaient leur regard sur les photos du magazine, et j'étais fier de leur montrer que ça ne me faisait pas peur de lire ce genre de littérature. Au plaisir de le lire s'ajoutait celui d'être vu en train de le lire.

La lecture et l'étude scrupuleuses des deux magazines m'occupèrent plusieurs semaines mais je ne connaissais quasiment aucun des groupes dont ils parlaient. J'aurais été incapable de reconnaître un seul de leurs morceaux. La seule constante que je relevais était capillaire. Aucun musicien de hard rock n'était coiffé comme moi. Ils avaient tous les cheveux longs. Certains étaient lisses, d'autres frisés, d'autres encore étaient tirés vers l'arrière pour dissimuler une calvitie naissante. Les cheveux longs furent donc la première chose que j'associai au hard rock et le seul point commun que je trouvais entre tous les groupes dont parlaient les journaux et ceux de la discothèque de Blondiaux. À cet âge je n'étais pas assez équipé mentalement pour relever qu'ils étaient 100 % masculins et aussi 100 % blancs (ce qui n'était pas très dur à voir pourtant).

Les connaisseurs que nous devenions se repassaient le mot : « Ce sont les groupes de hard qui font les meilleures ballades. » Même Jean-Luc Delarue avait fait une émission spéciale à *La Grande Famille* sur le hard rock un midi, et une des invitées l'avait dit : « Ce sont les groupes de hard rock qui font les meilleures ballades. » Comme ma mère adorait l'émission mais détestait le hard, j'eus l'impression que Jean-Luc Delarue et ses invités étaient là pour fermer le débat entre elle et moi en me donnant raison. Et c'est vrai que les groupes de hard faisaient de sacrés slows, que ce soit ceux de Scorpions, Skid Row ou Metallica. Je sentais bien qu'à chaque fois les paroles parlaient d'une rupture ou de déboires amoureux, mais du haut de mes 12 ans, j'étais encore trop jeune pour connaître de telles expériences. Je fermais les yeux en écoutant des slows de hard sur mon walkman en rêvant de me faire larguer par une fille pour que les paroles aient du sens pour moi, avoir l'impression d'être un adulte et de vivre des choses fortes. Quelques années auparavant j'avais découvert le film *Top Gun* au cinéma avec Tom Cruise et Kelly McGillis et j'étais tombé amoureux de l'actrice au point d'en avoir le cafard pendant deux semaines. Je n'avais que 9 ans, mais je ne comprenais pas pourquoi elle avait préféré Tom à Thomas et pendant quelque temps, en dépit de tous les plans d'approche que j'essayais de fomenter, je ne voyais pas comment réunir Kelly McGillis et moi dans une même pièce. Aujourd'hui encore, quand j'entends la chanson du film (la ballade « Take My Breath Away » du groupe Berlin) je regoûte l'amertume de mon premier chagrin d'amour.

Membre officiel du fan-club de Queen

Queen restait cependant mon groupe préféré et clairement le seul que j'aimais dont le leader portait à la fois les cheveux coupés court et la moustache. La lecture des notes de pochette à l'intérieur des albums (qui était mon hobby principal) m'apprit l'existence du fan-club officiel du groupe, dont l'adresse figure dans tous leurs albums (46 Pembridge Road), avec le nom de la personne responsable : Jacky Gunn. Il existait une personne dont le métier était de gérer les relations entre tous les fans de Queen du monde, et mon conseiller d'orientation mental plaça immédiatement ce job encore au-dessus de celui de la fille de *Télé 7 Jours* qui allait voir Magnum et Mister T. à Hollywood. Sans que je sache si Jacky était un homme ou une femme (car un de mes cousins avait un oncle de l'autre côté de sa famille qui s'appelait aussi comme ça), je fus pour la première (et seule) fois de ma vie jaloux d'une personne qui s'appelle Jacky.

Je décidai de m'inscrire au fan-club mais d'abord devais-je comprendre les modalités, puisque les consignes étaient d'envoyer une demande d'inscription accompagnée d'une SAE et d'un IRC. Après que j'eus demandé à plein de gens de mon entourage ce qu'étaient une SAE et une IRC, ce fut finalement l'une de mes tantes conseillère financière au bureau de la poste de Carpentras qui m'expliqua un jour que la SAE n'était autre qu'une « *self adressed envelope* » (une enveloppe préremplie à mes noms et adresse) et le IRC un « *international reply coupon* », un « coupon-réponse » qui était l'équivalent d'un timbre international pour le courrier retour : elle savait précisément de quoi je lui parlais ! Il faut dire à mon avantage que j'ai beaucoup d'oncles et de tantes (mon père a onze frères et sœurs), ce qui augmentait mes chances d'obtenir des réponses aux questions que je me posais avant Internet. Enfin je trouvais quelqu'un qui avait les mêmes préoccupations que moi. Après avoir résolu cette affaire de la plus haute importance, et une fois le dossier d'inscription prérempli et renvoyé, je reçus un premier courrier qui m'invitait à renvoyer un chèque de 9 livres sterling pour le paiement de l'abonnement. Je faisais face à une impasse : ma mère était à la Société Générale et il était impossible d'adresser un chèque français avec un montant dans une devise étrangère. Voyant que c'était pour moi ni plus ni moins une question de vie ou de mort, elle me proposa alors de contacter son amie anglaise (et ancienne correspondante) qui habitait en France depuis longtemps, Marian, laquelle accepta de signer pour moi un chèque de 9 livres depuis son compte anglais, en échange de quoi ma mère lui enverrait un chèque de 90 francs, montant que je devrais prélever en liquide sur mes économies pour les lui donner (je n'ai aucun mal à imaginer qu'Elon Musk soit devenu milliardaire en inventant PayPal). Je me souviens comme d'hier du jour où je suis rentré de l'école et que j'ai découvert une enveloppe en papier kraft imprimée *Queen Fanclub* sur la commode de l'entrée. Je n'ai jamais eu de descente d'organes mais ce que je ressentis à la vision de l'enveloppe est sans doute ce qui s'en approche le plus. Je lâchai mon cartable pour ouvrir l'enveloppe soigneusement, dans le but, bien sûr, de la garder même une fois ouverte. Le courrier contenait plusieurs documents : le dernier exemplaire en date du magazine du fan-club, la biographie du groupe, ainsi qu'une carte de membre. La carte était métallisée, un peu comme une carte Gold ou une carte American Express. J'eus aussitôt hâte d'être dans les circonstances qui me feraient avoir besoin de cette carte, en me demandant toutefois quand elles pourraient se présenter. À toutes fins utiles, je la rangeai précieusement dans le tiroir de ma table de nuit à côté de mon couteau suisse, paré à l'éventualité de devoir la brandir dans le cas du passage d'une milice ou des gardiens d'un nouveau régime autoritaire qui arriveraient chez les gens pour les déporter dans des camps de travail, sauf bien sûr si ces derniers « étaient en mesure de présenter leur carte de membre du fan-club de Queen ». Dans l'enveloppe, en cadeau pour les nouveaux membres du fan-club, il y avait également une petite lanière de cuir qui faisait bien 25 centimètres avec une frange en bas, une petite lanière sur laquelle il était écrit Queen. Je n'avais pas la moindre idée de l'utilité de cette lanière. Ma mère, qui faisait régulièrement des permanences à la biblio-thèque municipale, m'expliqua en voyant l'objet qu'il s'agissait d'un « marque-page ». Je savais ce qu'était un marque-page mais étonnamment je n'avais pas distingué l'objet comme tel en le voyant, pour moi c'était tout simplement une lanière Queen. Il faut dire que telle-ment de choses peuvent être utilisées comme marque-page dans la vie que c'est dur de l'identifier quand on en voit un vrai. Surtout, je trouvais incroyable d'imagi-ner que des gens avaient pris l'initiative de fabriquer des marque-pages Queen. En entrant dans ma vie, cet objet fut donc de ceux qui m'incitèrent à lire. Ma mère l'avait fait avant mais je ne compte pas ma mère en objet. En tout cas, l'incitation à la lecture était clairement validée par Queen. Toutefois dois-je dire la difficulté que j'avais à me plonger dans l'intrigue d'un livre, car à chaque fois que je tournais une page, j'étais distrait par le « Queen » du marque-page, et souvent je préférais reposer mes yeux sur le marque-page que sur le livre.

L'art de customiser un polo

Juste à côté de chez moi boulevard Victor-Hugo à Eu un magasin Texti avait ouvert dans les années 1980. Texti était un soldeur qui faisait des liquidations et fins de stocks de vêtements à bas prix, et ce n'est pas exagéré de dire que l'implantation de ce magasin à côté de chez moi a eu une influence sur mon « style ». Je ne sais pas si vous connaissez les magasins Texti. Moi c'est le premier magasin que j'ai assimilé à une marque vestimentaire, je croyais que c'était comme Chevignon ou Lacoste. Si bien que les premières fois que j'ai entendu des gens faire des blagues sur des vêtements achetés pas cher, genre « chez Tati », je les reprenais à chaque fois : « Tu veux dire *Texti* ! » Et à chaque fois non, les gens parlaient bien de Tati car Texti n'existe que dans le

Nord et en Normandie. J'avais des copains qui mettaient beaucoup d'habits de marque, moi la marque qui dominait mon style c'était vraiment Texti : si ce n'étaient pas des habits que ma mère m'achetait, c'en étaient qu'elle avait achetés à mes frères des années plus tôt. Jusqu'à mes 12 ans, les habits que me mettait ma mère ne me reliaient donc à aucune mode musicale : je n'étais d'un look ni rock ni reggae, j'évoluais dans un univers de polos et de bermudas. J'enviais Blondiaux d'avoir des parents qui lui offraient régulièrement des tee-shirts de groupes sur le marché d'Eu. Il en avait un de AC/DC, un de Megadeth, un de Metallica, un de Guns N'Roses. Moi je n'avais aucun tee-shirt, car ils coûtaient 120 francs chacun, et c'était l'équivalent de trop d'heures de jardinage chez mes parents pour envisager d'en acheter un seul. En plus Freddie Mercury n'était pas encore mort, et si Queen était un groupe populaire, il ne l'était pas encore suffisamment devenu en France pour que le vendeur du marché d'Eu propose des tee-shirts à l'effigie de Queen. Mais il en fallait plus que ça pour m'empêcher de porter les couleurs de mon groupe préféré. En quatrième, j'eus ma première « petite copine », Fanny, de qui j'étais tombé éperdument amoureux, avant qu'elle ne me largue pour un garçon qu'elle rencontrerait l'été suivant lors d'un stage d'anglais (même s'il ne sortit jamais avec elle car il lui préférait sa sœur, ce qui fut la seule chose qui me consola à l'époque). Uniquement pour croiser Fanny plus souvent en dehors des cours, j'avais supplié mes parents de m'inscrire au club de tennis car elle y allait tous les mercredis. J'avais déjà essayé le judo, le football et l'escrime que j'avais consciencieusement abandonnés après six mois de pratique, car à chaque compétition je terminais au mieux avant-dernier et je ne voyais pas trop l'intérêt de faire du sport si le seul but était d'encaisser des humiliations. Ma mère avait pris l'habitude de me voir quitter les clubs de sport très vite, donc quand elle accepta de payer l'inscription annuelle de 300 francs pour l'accès au club de tennis, elle me dit que ça ne servait à rien pour le moment d'acheter une raquette neuve car il y avait des raquettes de tennis et de ping-pong dans le tiroir du bas de la commode dans l'entrée de la maison. J'eus donc ma carte officielle du tennis club d'Eu qui fut ma deuxième « carte officielle de club » en peu de temps : je commençais à comprendre ce que c'était de devenir un adulte. Je fus toutefois l'une des dernières personnes de l'histoire du tennis club d'Eu à y entrer avec une raquette de tennis en bois, en essayant de faire comme si je ne voyais pas où était le problème. Quand la toute première fois, je fis mon entrée en tant que membre officiel (car jusque-là, j'y entrais en visiteur pour regarder jouer Fanny), je ne sais pas ce qui fit le plus d'effet : ma raquette de 1960 ou le polo que j'avais décidé de customiser, en espérant que personne ne remarque que je l'avais fait moi-même. Le polo était blanc, informe, en matière épaisse et hyper synthétique : en un mot, il tenait bien chaud, ce qui était parfait pour aller jouer au tennis, comme ça j'étais sûr de ne pas prendre froid. C'était exactement comme un polo Lacoste, mais sans le crocodile. Il datait clairement d'avant l'ouverture du magasin Texti. Il avait dû appartenir à ma mère, mon oncle ou un de mes frères, ou successivement à tout le monde, car dès qu'un nouveau vêtement faisait son apparition dans le foyer, il était automatiquement amené à être attribué à celui qui en faisait la taille les années suivantes et cette année-là il était dans mon armoire. Si les tee-shirts qui étaient vendus au marché étaient principalement des tee-shirts noirs, j'avais aussi remarqué que certains étaient blancs. Une autre chose que j'avais remarquée, c'est le feutre-marqueur Bic rouge « indélébile » qui était posé sur le secrétaire chez mes parents et j'avais dès lors eu le projet de mettre le polo aux couleurs de mon groupe préféré. Le vendeur du marché vendait des tee-shirts de groupes, pas des polos de groupes mais je ne faisais pas encore la différence entre un tee-shirt (au col rond) et un polo (avec col ouvert et des petits boutons). Je ne voyais pas encore vraiment de différence entre tous les habits, dont je ne retenais que le point commun essentiel : ils servent à s'habiller et à faire connaître aux autres le nom de votre groupe préféré. Le marqueur était du même rouge que celui avec lequel Queen avait écrit le nom du groupe sur la pochette de *A Kind of Magic*, album qui avait été suivi de la sortie du *Live Magic*. Je pris mon marqueur et, complètement résolu, j'écrivis « Queen Live Magic » en gros sur le polo blanc, tel une sorte d'assassin de polo. Quelle idée de dépenser 120 francs dans un tee-shirt de groupe quand un polo blanc et un marqueur Bic faisaient amplement l'affaire ? Je ne sais pas si vous avez déjà écrit avec un marqueur sur un polo mais ça bave, l'encre ne va pas que sur les mailles où vous voulez qu'elle aille, elle déborde sur les mailles voisines, et je compris vite que j'aurais du mal à faire croire que c'était un tee-shirt de groupe que j'avais acheté sur un marché, d'autant que c'était un polo. Au demeurant, on arrivait quand même bien à lire que j'avais écrit « Queen Live Magic » et pour moi l'essentiel était que l'info passe. J'arrivai au tennis club où tout le monde avait des tee-shirts blancs étincelants ou à l'effigie de marques sportives, imprimées à l'usine. Avec ma raquette en bois et mon polo, je donnais l'impression d'être une sorte de réfugié politique désireux de jouer au tennis. Je fus déçu que la première question de Fanny, qui savait pourtant que j'étais fan de Queen, porte sur le polo. « C'est toi qui as écrit dessus… mais comment t'as fait ça ? » me demanda-t-elle comme pour ne pas me demander « mais pourquoi t'as fait ça ? » Je fus blessé qu'elle remarque l'aspect fait main et qu'elle ne pense pas que ce pouvait tout simplement être un beau polo Queen que j'avais acheté neuf dans un magasin, mais à y réfléchir maintenant, si je m'étais rendu compte que les lettres avaient bavé, il n'y avait aucune raison pour qu'elle ne s'en aperçoive pas non plus.

La sœur de Fanny, qui jouait aussi au tennis, éclata de rire en me voyant habillé. Je le sus immédiatement : c'était la première et dernière fois que je mettais ce polo. Mais quand Fanny me présenta à son prof de tennis, ce dernier lut à voix haute l'inscription sur le polo et dit aussitôt : « C'est super, Queen ! » J'exultai. L'info était passée ! Il n'avait fait que retenir que j'aimais Queen et rien d'autre, il n'avait pas fait de blague sur les lettres qui bavaient. J'étais requinqué par ce prof de tennis qui n'était pas du genre à regarder le verre à moitié vide (lui). Fanny partit suivre son cours avec sa sœur, et comme j'avais la carte uniquement pour profiter des terrains mais pas pour suivre des leçons, n'ayant personne face à qui jouer, j'allai fêter cette petite victoire en m'entraînant seul face au mur du club avec un trait blanc peint à la hauteur du filet, dans mon polo moche avec ma lourde raquette en bois. J'avais beau être très amoureux de Fanny, il m'apparut très vite que quand même pas assez pour retourner au tennis club, dont je n'eus pas la motivation de profiter beaucoup plus. En plus, pour avoir vu quelques matchs de Roland-Garros à la télé, il m'avait semblé que c'était beaucoup plus facile que ça de jouer au tennis. Mon abonnement à 300 francs ne m'apprit donc pas à jouer correctement au tennis. Au moins me força-t-il à admettre que pour bien jouer, il faut beaucoup s'entraîner. Et cette information, c'était toujours ça de pris.

CD gratuits

En 1989 Caroline, une de mes nombreuses cousines, s'est mariée avec un certain Philippe qui était représentant pour le label Virgin. Comme j'étais scout de France, jusque-là j'avais beaucoup utilisé le mot « label » pour définir les écussons qu'on cousait sur les chemises (label explorateur, label saltimbanque) mais je compris rapidement que le mot « label » désignait aussi une société de production et de distribution de musique, ce qui donne une bonne idée de ma vivacité d'esprit. Philippe passait souvent chez nous, et nous apportait à chaque fois des cassettes de compilations d'artistes Virgin, puis petit à petit il nous apporta des CD, d'artistes Virgin également. Il y avait sur ces compilations des artistes venus de tous les pays et de tous les horizons musicaux : Julien Clerc, Peter Gabriel, Pixies, Rita Mitsouko, The Cult, Neneh Cherry. Mais aussi UB40, T'Pau, Regg'Lyss, Liane Foly. Artistiquement les musiciens et groupes qui figuraient sur ces compilations n'avaient rien à voir les uns avec les autres, leur seul point commun était d'être des artistes signés chez Virgin. Du coup pendant quelques années, on a écouté beaucoup de musique à la maison, mais surtout beaucoup de musique Virgin, car c'est la seule qui y arrivait gratuitement. Même si les cassettes que nous donnait Philippe étaient officiellement des cadeaux « pour toute la famille », je préférais les ranger dans ma chambre, ce qui me donnait l'impression d'en avoir plus. Au Prisunic je m'étais fendu de l'achat d'un coffre à cassettes en bois, lequel me permettait de ranger 30 cassettes. Philippe fut la première personne qui connaissait des gens connus à entrer dans notre maison eudoise. En effet, la soirée où mes parents devaient recevoir à dîner un client de mon père qui était marié à l'une des coco-girls de Stéphane Collaro avait finalement été annulée, au grand dam de mes frères et moi, et de mon père aussi probablement. Mon père produisait et vendait du terreau, des engrais et de la terre de bruyère et apparemment Stéphane Collaro avait embauché une coco-girl mariée à un mec qui était dans le même biz.

Je n'imaginais pas le métier de Philippe moins plaisant que celui de la fille de *Télé 7 Jours* : certes il faisait beaucoup de route en tant que représentant, mais il avait les disques gratuits. Quand il venait à la maison il nous racontait que Jean-Louis Aubert était super sympa dans la vie, et Louis Bertignac même encore plus, et qu'il avait déjà serré la main de Keith Richards dans le cadre du boulot. Le contact de la paume de ma main avec celle de mon nouveau cousin par alliance ne me mettait qu'à un seul degré de séparation de la main qui avait inventé « Satisfaction », et le titre correspond totalement à l'état dans lequel ça me mettait de prendre conscience de ça à 12 ans. Un jour, pour Noël, Philippe nous offrit dix CD d'un seul coup. Il les avait emballés dans du papier journal et quand on ouvrit le paquet il me semble bien que je crus défaillir. Surtout qu'il y avait le *Greatest Hits* de Queen, en CD !! Un an plus tôt je ne connaissais toujours pas la fin d'« Under Pressure » et voilà que j'allais pouvoir l'écouter en compact-disc, sans devoir rembobiner pour écouter une chanson précise ! Je découvrais la modernité avec l'impression grisante de vivre avec mon époque, et il était temps car les premiers CD avaient été commercialisés cinq ans plus tôt. La définition laser du son me donnait l'impression de faire une entrée fracassante dans les années 1990. La première fois qu'on était allés chez Caroline et Philippe avec mes parents, ma mère s'était étonnée de la présence d'une cinquantaine de boîtes d'archives entassées près de l'entrée de leur cuisine. Philippe lui avait répondu qu'il ne savait plus trop quoi faire de ces archives, où sur la tranche de chacun était écrit un mot comme « politique », « cinéma », « littérature », « musique », « sport » et qu'il hésitait presque à tout balancer. Je demandai ce que contenaient exactement lesdites boîtes qui ne m'évoquaient jusqu'alors que des stocks de réponses au Trivial Pursuit. « Des articles de presse, qui viennent de tout un tas de journaux et de magazines. » Ma mère dit alors que ces archives étaient « inestimables », et je ne compris pas l'intérêt de Philippe à jeter des choses inestimables. Si ma mère les pensait inestimables et que Philippe souhaitait s'en débarrasser, pourquoi ne les prenait-elle pas pour les revendre ? Je n'avais jamais compris l'intérêt qu'il pouvait y avoir à conserver des articles de journaux mais j'appréciai immédiatement l'idée qu'on puisse constituer quelque chose d'inestimable uniquement à partir de coupures de presse.

Autant j'avais déjà été sensible à l'idée de « l'étude de marché » et au concept de « la prise de notes », autant je crois que j'étais en train de tomber complètement croque-love du mot « archives », j'adorais ce qu'il représentait, mais aussi le son du mot. Encore aujourd'hui je dois reconnaître que j'adore le son du mot « archives » (mais surtout à partir de « -chives », j'aime moins « ar- »). Chives. ArCHIVES. Et j'aimais l'idée que pour faire des archives, il suffisait de mettre des papiers dans des boîtes et d'empiler ces boîtes. Je voyais bien là le moyen d'avoir le sentiment du travail accompli en ayant quelque chose de satisfaisant à regarder et en faisant quelque chose de vraiment pas difficile : remplir des boîtes ! En plus ça déborde pas, c'est bien lisse et bien net, c'est nickel, c'est du beau boulot, ça. Curieux de voir ce que Philippe avait mis dans la boîte sur laquelle il était écrit « cinéma » (je voulais voir si comme Pierre Tchernia, il avait pensé au système des fiches) je ne trouvai que deux numéros du journal *Libération*, et je me demandai si ce n'était pas un peu galvauder le mot que de mettre deux journaux dans une boîte et de dire qu'on fait des « archives », aussi plaisant que soit le mot à prononcer. Je m'empressai tout de même de découper les quelques articles que j'avais sur Queen pour les mettre dans un porte-vues que j'avais récupéré de ma mère. Je n'avais que trois articles mais quelle jouissance de les découper soigneusement et de les ranger dans un classeur désormais prévu à cet effet. Les pages des journaux rentraient pile dans le porte-vues, c'était la bonne taille, les fabricants avaient pensé aux archivistes !

Le correspondant allemand

J'avais découvert le groupe Europe et je savais que l'Europe était un continent mais je n'avais pas encore bien compris ce que voulaient dire les gens avec des vestes et des cravates à la télé qui parlaient de « l'Europe ». Thibault adorait l'allemand, ils s'écrivaient beaucoup avec Markus, et ma mère était persuadée que ça changerait notre avenir à tous de parler allemand et de faire allemand LV2 « avec l'Europe » (elle le disait dans le même sens que les gens en chemise de la télé). « Pourquoi tu ne prends pas un correspondant allemand ? Ça serait super !! » était une phrase que nous entendions beaucoup à la maison, surtout quand ma mère était là, et elle était toujours là. « C'est quand même grâce à Markus, le correspondant de Thibault, que tu as découvert Queen ! » me dit-elle, sous-entendant « c'est quand même excellent les correspondants » et pour me faire voir combien ça pourrait être fun que moi aussi j'échange des lettres avec un inconnu qui habite en Allemagne. Du coup, c'est à cause d'elle si je ne sais dire que « *cerveza* » et « *patatas fritas* » en espagnol alors que dans ma vie, j'ai eu mille fois plus d'occasions de regretter de ne pas parler espagnol que de devoir parler allemand. Comme l'école participait à un programme d'échanges pour inciter les élèves à trouver un correspondant, la prof d'allemand me donna donc l'adresse d'un jeune Allemand, à qui j'écrivis pour expliquer que j'habitais dans une ville qui s'appelait Eu et que j'aimais le hard rock, il me répondit en me disant qu'il aimait la pêche et le vélo et je sus tout de suite que notre relation n'irait pas plus loin avec Jurgen (à moins que ce n'ait été Fritz, s'il me lit en tout cas, je serais ravi de reprendre contact). Par la suite, voyant que je ne répondais pas, il m'envoya un exemplaire du mensuel *Metal Hammer* entièrement en allemand ! Trouvant ça un peu fort de café, je préférai ne pas donner suite à ma relation avec Helmut. « La pêche et le vélo » avaient déjà eu un fort effet dissuasif sur moi dès le début. L'idée de passer deux semaines à pédaler outre-Rhin avec une canne à pêche sous le bras le long de cours d'eau créa une barrière psychologique à l'idée de pousser plus loin mon amitié avec Werner. Lui envoyer un exemplaire de *Pêche Mag* ou du *Magazine de la truite* tout en français aurait ressemblé à une sorte de vengeance et c'est la raison pour laquelle je décidai de rompre avec lui, mais encore une fois : la maison lui est grande ouverte s'il lit ces lignes ! J'ai changé quatre fois d'adresse depuis mais si *d'aventure* il parvenait à se procurer la nouvelle, qu'il le sache : il sera chez moi chez lui.

Au début de l'été 1991 mes parents m'annoncèrent qu'à cause de soucis de santé de mon père, il allait devoir changer de travail et qu'on allait donc devoir déménager pour un poste qu'il avait trouvé près de Chinon en Indre-et-Loire, et je ne fus pas totalement emballé par l'idée.

24 novembre 1991

Ça faisait trois semaines seulement qu'on habitait en Touraine, c'était un dimanche, et il ne faisait pas très beau, ni très chaud non plus parce que mes parents n'ont fait installer le chauffage qu'en 1992. J'écoutais Queen en faisant de la buée avec ma bouche dans ma chambre, sur la chaîne hi-fi que mes parents m'avaient emmené acheter chez Gitem à Chinon à l'occasion de notre arrivée dans cette nouvelle maison. Le midi, on était en train de déjeuner quand d'un coup, une louche à la main, ma mère s'exclama : « T'as entendu ? Freddie ! Il a le SIDA ! Le chanteur de Queen. » On ne s'embarrassait pas des noms de famille à l'époque, et en disant seulement « Freddie », on savait de qui on parlait. « Ils l'ont annoncé ce matin à la radio, Freddie Mercury a fait un communiqué pour dire qu'il était malade du SIDA. » La première chose qui me choqua en l'apprenant fut d'abord de ne pas avoir été présent au moment où on parlait de Queen à la radio. Je n'avais pas une idée précise de la popularité de Queen en France, mais le fait qu'on annonce à la radio française que le chanteur de mon groupe préféré avait publiquement dit qu'il était malade me rendait assez fier. Il était rare qu'on parle de choses qui me préoccupent vraiment aux informations et le fait de pouvoir dire « je connais ! » au sujet de Freddie Mercury, quand bien même pour l'annonce de sa maladie, c'était pas rien. Trois mois plus tôt dans *Hard Rock Magazine*, j'avais lu une interview de Ozzy Osbourne qui s'emportait à un moment contre les tabloïds anglais en disant « ces gens ne respectent rien, ils rient du SIDA de Freddie Mercury… » et c'est à ce moment précis que j'avais compris pourquoi Queen avaient arrêté complètement les tournées depuis deux albums, et que tout le monde en Angleterre était au courant que Freddie était malade depuis bien longtemps, à cause des *Closer*, *Voici* et *Oops !* locaux. Bref j'avais déjà entendu parler du SIDA de Freddie et je n'y trouvais rien de très réjouissant. Le lendemain matin mon réveil se déclencha avec les informations de 7 heures sur RTL. Le présentateur annonça d'abord que l'URSS n'existait plus et même si je me disais bien que ça devait être quelque chose d'assez important, j'eus l'impression d'être un Romain qui croise la route d'Obélix quand on annonça juste après que Freddie Mercury le chanteur de Queen était mort dans la nuit des suites du SIDA. Jamais l'URSS ne m'avait semblé aussi insignifiante et minuscule. Au petit-déjeuner, ma petite sœur était en larmes. Ma mère crut qu'elle pleurait à cause de Freddie, mais en fait elle pleurait seulement parce qu'elle ne voulait pas aller à l'école, je pense que Freddie lui passait pas mal au-dessus du

ciboulot. À l'école tout le monde me présenta ses condo-
léances. J'étais nouveau depuis deux semaines et tout le
monde savait déjà que j'étais fan de Queen, niveau KOP
Boulogne. Ça donne une bonne idée de combien je
saoulais tout le monde avec ça.

Le soir même, tel un véritable desperado du magnétoscope, je parvins à enregistrer la séquence sur la mort
de Freddie sur les informations d'absolument *toutes* les
chaînes – TF1, Antenne 2, FR3, Canal + et M6 – en
zappant non-stop de 19 h 30 à 20 h 35. Quelques
jours plus tard je reçus une enveloppe pleine de toutes
les coupures de la presse anglaise au sujet de la mort
de Freddie Mercury, il y en avait des tonnes : c'est la
nièce de Marian qui, sachant que j'étais fan, avait
demandé aux élèves de toute sa classe de ramasser les
articles sur le sujet et de les rapporter à l'école « pour
les envoyer à un fan en France », j'avais l'impression
d'être un enfant éthiopien. J'exultai, en même temps
que je plaçais ladite nièce au niveau de Mère Teresa, et
encore aujourd'hui je le dis : chapeau la nièce. Et merci
à ma mère d'être toujours restée amie avec sa correspondante anglaise (soixante années plus tard elles le
sont encore) ce qui me fut clairement plus utile que
ma très brève relation avec Völker (à moins que ce ne
fût Bernd). Je suis du genre à voir midi à ma porte et
la mort très médiatisée de Freddie Mercury avait cet
avantage de me permettre d'augmenter ma collection
d'articles consacrés à Queen de façon significative. Pour
la première fois, grâce à ces articles, je pus avoir
un aperçu de la devanture de la maison de Freddie

Mercury, ou plutôt du mur derrière lequel se cachait la maison, qui était montré pour la première fois. Le stalker en moi contemplait des photos du mur en se disant « C'est donc derrière ce mur que Freddie se brossait les dents ! C'est donc ici qu'il rangeait son piano et sa malle à déguisements ! »

Première fois à Thionville

Je découvris bientôt l'existence d'un autre fan-club de Queen, français cette fois-ci. Il était tenu par un certain Yves Lafontaine, un gars qui en dépit de son nom à consonance québécoise habitait à Thionville dans l'est de la France, et pour cette raison je me mis à fantasmer totalement sur cette ville de Moselle, d'où m'arrivaient toutes les infos en français sur l'actualité de Queen, même s'il risquait de ne plus en arriver pour un bon moment dans aucune langue. J'étais tellement obnubilé par l'existence de ce fan-club français que j'en vins à imaginer Thionville comme une ville de rêve. J'ai même probablement poussé le bouchon jusqu'à aller lire la notule consacrée à la ville dans le Larousse même si je ne suis pas spécialement fier de ce souvenir ; je préfère croire que c'est ma mémoire qui me joue des tours et que je l'ai inventé. Si j'entendais le nom de la ville à la télévision, une voix hurlait dans ma tête que c'était la ville du fan-club de Queen. C'est l'info qui subsistera le plus longtemps si je suis un jour atteint d'Alzheimer. Yves m'envoya des exemplaires de son petit fanzine, ainsi que la liste imprimée sur ordinateur de tous les objets et disques de sa collection. Pour chaque single, il avait plusieurs éditions différentes de plusieurs pays. La découverte de cette liste a eu une influence sur la façon que j'ai eue de dépenser mon argent tous les jours qui sont venus après (jusqu'à aujourd'hui) : c'est à partir de là qu'à chaque fois que je suis devenu amoureux d'un groupe dans ma vie, j'en ai frénétiquement collectionné tous les 45 tours. Le gars m'expliqua qu'il organisait bientôt la deuxième convention de fans de Queen à Thionville, et que j'y étais cordialement invité. Au terme de longues économies et de longues suppliques à mes parents pour me laisser partir le temps d'un week-end, je pus enfin assouvir en avril 1993, alors âgé de 16 ans, l'immense soif de Moselle qui était la mienne. Il y avait des fans venus de la France entière, mais aussi de Belgique et même de Hollande, autant dire des quatre coins du monde. Yves s'était fait prêter une salle paroissiale pour organiser le meeting, au programme duquel outre les rencontres et discussions entre fans, il avait également prévu des jeux (par contre : uniquement sur Queen) où il fallait reconnaître des images de clips ou des morceaux (de Queen, donc) qui étaient joués à l'envers. Nous étions munis de gamelles et de louches et le premier qui reconnaissait le titre devait taper dans la gamelle avec la louche. Je vivais le meilleur week-end de toute ma vie. Il y avait aussi Murielle, qui était venue revendre toute sa collection. Elle avait été fan pendant des années, elle avait rencontré les membres de Queen à plusieurs reprises. Elle aussi disait « Brian » pour Brian May, « Roger » pour Roger Taylor. Pour elle aussi, le prénom suffisait, elle les avait assez bien connus. Mais elle avait eu trop de mal à supporter la mort de « Freddie » (Mercury) et du coup elle vendait tout. Elle avait des paroles de chansons écrites de la main de Brian May, et surtout le splendide legging moulant noir et blanc que le chanteur portait sur scène au Rock In Rio huit ans plus tôt. Il était là, sous mon nez, ce legging qui avait moulé la peau de Freddie Mercury. Elle l'avait mis sous un grand plastique pour le protéger et l'exposer. Elle le vendait pour 5 000 francs, soit plusieurs années d'argent de poche pour moi, ou trop d'heures de jardinage, plus que je n'en ferais jamais dans ma vie. Avec autant de respect – j'imagine – qu'un catholique demandant à un gars de la sécu s'il peut faire un selfie dans la grotte de Lourdes, je demandai timidement à Murielle s'il était possible qu'elle me prenne en photo à côté du pantalon, celui-là même qui avait contenu les cuisses de Freddie, les tibias de Freddie, les bourses de Freddie. Ce fut la première et dernière fois de ma vie que je demandai à quelqu'un de me prendre en photo avec un pantalon sans porter le pantalon et même je crois l'unique photo de moi posant sciemment à côté d'un pantalon. Incapable de contenir ma fierté, je croise les bras et souris benoîtement comme si j'étais à côté d'une star alors que je suis à côté du tissu. Je ne me rendais pas compte de ce que j'étais en train de faire. Je regarde parfois cette photo en me demandant combien de décisions j'ai prises dans ma vie du même calibre que « vouloir se prendre en photo à côté d'un pantalon ». Une certaine Viviane était venue à la convention de fans de Queen avec sa fille, elle avait toujours son portefeuille dans la main. Elle dépensait visiblement beaucoup d'argent dans les disques de Queen dans sa vie. Yves me dit que son mari était un chef d'entreprise fortuné qui ramenait l'argent à la maison, et elle, elle claquait tout en Queen. Et dans ces conditions, je n'eus pas de mal à m'imaginer homme au foyer, être celui qui gère le budget pour rapporter les coffrets collectors et les 45 tours rares à la maison. Yves avait aussi eu l'idée de génie d'organiser une tombola, laquelle me permit de gagner un sachet rempli de badges Queen. J'avais vu la fille de Viviane lorgner sur le magnifique badge « Hot Space » qui faisait partie du lot, et c'est vrai que c'était le plus beau. Quand, victorieux, je remportai le sachet à la fin de la tombola, elle demanda à regarder les badges, et comme je ne voulais pas faire le type méfiant, je pris bien soin de ne pas la surveiller quand elle en examinait le contenu. Mais le soir en rentrant par le train Corail en Touraine, je découvris que le badge « Hot Space » avait disparu, alors je sus immédiatement que c'est elle qui me l'avait barboté. Je me demande quel est le nom de la maladie mentale qui fait que j'ai encore la haine quand j'y repense aujourd'hui. Qu'elle se méfie si je la recroise aujourd'hui, que je ne me dresse pas devant elle par surprise en disant « Tu me rends mon badge, maintenant ! »

Coin-coin

Quand mes parents m'avaient annoncé le déménage-ment l'été précédent, j'avais vraiment accusé le coup. J'avais 14 ans et une bande de copains. J'étais assez anxieux à l'idée de déménager en cours d'année scolaire de la ville où j'avais toujours vécu. C'est à cette époque que, pour faire sortir toute la colère que j'avais en moi, j'ai commencé à passer beaucoup de temps le soir au téléphone à essayer de joindre le standard de RTL pour gagner des CD dans l'émission de Francis Zégut. Le jeu s'appelait « Le Coin-coin », c'étaient les mêmes règles que la bataille navale. Les auditeurs choi-sissaient une case en direct, par exemple B3 ou D1, et on entendait un plouf – le plus souvent – qui voulait dire « perdu ». Mais si l'on tombait sur une case gagnante, on entendait alors le bruit d'un canard qui faisait « coin coin », et alors là on gagnait des CD. Il nous repassait la standardiste qui nous récitait une liste de CD parmi lesquels on pouvait choisir, et deux jours après, on recevait le disque en recommandé, emballé dans une enveloppe kraft avec de la mousse, clairement le modèle d'enveloppe en mousse le plus sophistiqué que j'ai jamais vu. L'enveloppe était molletonnée, c'était un oreiller à CD. Ils n'étaient vraiment pas dans le besoin à RTL pour mettre autant d'argent dans les enveloppes en mousse.

Le plus dur était évidemment de réussir à joindre RTL au téléphone. J'ai passé des soirées entières à anti-ciper le moment où Francis Zégut allait lancer le jeu (ça arrivait plusieurs fois par soir) et à chaque fois j'essayais de faire coïncider les premières sonneries pile avec le moment où il allait finir de dire « On attend vos appels pour jouer avec nous !! ». Ma technique marchait parfois, j'entendais alors une standardiste me dire « RTL Bonsoir !!! », et mon cœur se mettait à battre la chamade : j'étais en direct avec Paris ! Depuis le salon de chez mes parents à Beaumont-en-Véron, et en même temps j'étais dans les coulisses de RTL à parler avec une des standardistes de l'émission de Francis Zégut. Ces femmes savaient-elles d'ailleurs ce que j'aurais donné pour être à leur place ? « Standardiste à RTL, de quoi peut-on se plaindre ? » me demandais-je. Je passais des heures à imaginer la configuration du studio de l'émission. À combien de mètres étaient-elles de Francis Zégut ? Pouvaient-elles communiquer facilement avec lui ? Invariablement, je finissais par les imaginer à deux sur un pupitre installées à environ deux mètres de lui. Ma voix passait donc régulièrement le soir sur RTL. Je faisais partie d'une petite compagnie de théâtre et une dame de la compagnie disait qu'elle entendait parfois à la radio « Thomas de Beaumont-en-Véron ! » Elle savait que c'était moi qui jouais pour essayer de gagner des CD. Malheureusement quand on gagnait, on n'avait pas le droit de rejouer avant 1 mois et 1 jour pour laisser de la place aux autres, alors je rappelais en me faisant passer pour des potes de l'école chez qui étaient envoyés les disques, et qui devaient donc me les rapporter après. Je passais alors à l'antenne de la radio et Zégut me présentait en disant « On est

avec Cédric de Chinon ! » ou « Salut Nicolas de Bourgueil ! » Mais une fois qu'on les avait en ligne, ils commençaient toujours par demander un numéro de
téléphone auquel rappeler, alors j'avais peur que les
standardistes ne reconnaissent ma voix ou surtout
qu'elles ne voient que le numéro de téléphone était
toujours le même (celui de mes parents), et qu'elles me
disent soudain « On t'a reconnu Thomas-de-
Beaumont-en-Véron !! »

Je passais des soirées au téléphone à essayer de
joindre le standard de la radio, à craindre de ne pas
parvenir à le joindre, et avec la trouille de me faire
gauler. Mais pour mes potes le deal était intéressant car
pendant quelques mois, à chaque fois que je gagnais
des CD, on gagnait aussi des abonnements à *Best* et
j'ai pu abonner gratuitement pas mal de mes potes.
Leur service abonnement devait se demander pourquoi
tant de leurs lecteurs étaient implantés dans le Chino-
nais. J'étais moi aussi abonné à *Best* que j'ai reçu gratuitement pendant longtemps, à l'époque où le journal
couvrait surtout le couronnement de la techno et du
grunge dans les années 1990. Jamais une référence à
Queen. Un jour je lus une interview de Noir Désir à
l'époque de la sortie de *Tostaky* dans laquelle les
membres du groupe disaient avoir maintenant honte
d'avoir écouté AC/DC, Led Zeppelin ou Queen quand
ils étaient plus jeunes. « Non mais c'est quoi leur problème à ces gars-là ? » je m'étais dit. J'avais donc déjà
un vieux fond de rancœur contre Bertrand Cantat bien
avant que tout le monde ne se mette à faire pareil à

partir de juillet 2003. J'étais scandalisé par le dédain dont Queen faisait l'objet dans la presse rock « bien-pensante » de *Best* ou *Rock & Folk*, que je lisais pourtant assidûment. À vrai dire, Queen est le groupe qui me servait de mètre étalon dans mon exploration de la musique alors j'avais tendance à tout trouver un peu fade à côté. Une fille de ma classe avait un grand frère qui lui passait aussi des cassettes, mais elle ne jurait que par Lou Reed, le Velvet Underground ou les Clash, des artistes qui manquaient clairement de fanfreluches selon moi. J'avais regardé dans les pochettes de leurs CD et en voyant les photos, je ne comprenais pas pourquoi ils ne souriaient pas et ne se déguisaient pas. Je ne voyais pas trop l'intérêt de s'embêter à faire un concert si c'était pour ne pas monter sur scène à la fin avec une couronne et une robe bordeaux royal.

Chanteur d'un groupe
dont je n'ai pas choisi le nom

Juste après avoir déménagé en Touraine, mes potes de Normandie montèrent un groupe et me demandèrent si je voulais en être le chanteur. J'acceptai aussitôt, mais plutôt pour être sûr de ne rien rater des trucs géniaux que mes potes faisaient maintenant que j'habitais loin d'eu(x) que par réelle envie de devenir chanteur d'un groupe. Après le déménagement, mes parents avaient décidé qu'on remonterait à Eu une fois par mois pour voir les amis et la famille, ça allait permettre à notre groupe de répéter. Aucun groupe ne s'est jamais taillé une place dans l'Histoire en ne répétant qu'une fois par mois, mais il nous semblait bien que ça valait le coup d'essayer quand même. Le local de répétition était basé chez Alexandre qui habitait à deux kilomètres d'Eu, dans le village de Flocques (qui se prononce exactement « floc ! » et qui correspond au bruit de l'empreinte que notre groupe s'apprêtait à laisser dans l'histoire de la musique). Le bassiste Alexandre attendit donc que j'accepte d'être chanteur pour me faire part du nom du groupe, et je découvris malheureusement qu'il s'agissait de « Streetfight », un peu comme un gars qui irait chercher un héritage et qui se rend compte après l'avoir accepté qu'il y a plein de dettes. J'étais donc chanteur de « Combat de rue », et voilà tout ! N'étant pourtant titulaire que d'une ceinture jaune de judo (sport abandonné après le CE1 et la remise de ladite ceinture), je voyais mal à quel combat de rue exactement ils voulaient que l'on fasse référence. Je voulais bien que dans la vie, on soit éventuellement « champion de streetfight », ou même « deuxième dan de streetfight », mais « chanteur de streetfight »... Je me demandais s'il allait falloir que je m'y prenne différemment des autres chanteurs. Encore aujourd'hui si je fais le compte, je ne me suis battu qu'une seule fois dans ma vie, et c'était en maternelle. Malheureusement c'était trop tard pour changer le nom et je n'eus aucun mal à comprendre pourquoi mes frères pouffèrent quand je leur appris que j'étais chanteur d'un groupe appelé Streetfight malgré moi.

Dans Streetfight, il y avait Alexandre à la basse (qui avait étudié longtemps le piano classique) mon ami Mat Dormaels à la guitare, Blondiaux à l'autre guitare pour les solos, et moi au chant. Alexandre avait aménagé une grange chez ses parents pour répéter, et quand il crut trouver un batteur en la personne d'un certain Ludovic, il lui proposa de laisser directement sa batterie à la grange. Car oui, Ludovic avait bien une batterie. Il avait des lunettes et une batterie. Mais il n'était pas batteur pour autant. La première fois que je le vis jouer, je compris pourquoi Alexandre m'avait dit que c'était très difficile de trouver un batteur dans la région. Il avait juste pris un gars qui possédait une batterie. Ludovic ne savait pas jouer. Dans le film *Whiplash*, le prof de batterie l'aurait fait expédier dans un camp de concentration. Et surtout : Ludovic était complètement con. Il se servait du fait qu'il était grand et baraqué pour rabaisser tout le monde et taper trop fort sur ses fûts, mais chaque coup porté à la batterie était précédé d'une espèce d'hésitation qui faisait que même un sourd aurait vu en deux secondes qu'il était le plus mauvais batteur du monde. Un jour, Ludovic me dit que je chantais mal (ce qui n'était pas faux), mais je me gardai bien de lui retourner le compliment tant il donnait l'impression de pouvoir devenir violent avec son accent picard, si violent lui aussi. Je me demandai tout de même s'il était possible qu'il trouve que je chante aussi mal que je trouve que lui jouait mal.

De temps en temps, Alex organisait une boum où il y avait quelques filles qui venaient, on dansait des slows avec elles sur « Stairway to Heaven », et c'était toujours bizarre parce que quand le morceau s'énerve à la fin, ce n'est plus du tout un slow, mais nous on continuait de le danser en slow car on ne connaissait pas les pas de danse adéquats pour les morceaux qui se terminent comme ça. Nous étions un groupe de rock globalement rural, et quand nous prenions une pause au milieu d'une répétition, c'était pour faire des parties de pétanque sur le terrain en face de chez Alex, même si j'abandonnais toujours après une partie car je n'ai jamais compris la patience de ceux qui veulent tout de suite faire une revanche juste après la première (amplement suffisante pour me lasser).

C'est Christine, la mère de Mat (mon voisin), qui gérait les allers et retours entre Eu et Flocques mais aussi parfois la mère de Blondiaux et dans ces cas-là, il passait du metal dans sa voiture aussi fort qu'il pouvait pour montrer que sa mère le laissait faire. Il mettait Pantera à fond et bougeait dans tous les sens à la place du passager à côté de sa mère qui regardait la route comme si de rien n'était. Après dix secondes de AC/DC à un volume normal en voiture, ma mère coupait le poste en disant « il ne chante pas *il gueule*!!! » Avant chaque répétition de Streetfight, le père d'Alexandre qui était fan depuis toujours de Led Zeppelin nous demandait de le prévenir à chaque fois qu'on répétait « Whole Lotta Love ». Il traversait alors le jardin en courant pour nous rejoindre dans la grange. Quand

Nico Blondiaux jouait le riff d'intro du morceau, le père d'Alex fermait les yeux en souriant comme s'il revivait ses jeunes années. En les rouvrant il voyait hélas bien qu'on était toujours à Flocques.

Nous lisions *Metal Hammer* et *Hard Rock Magazine* tous les mois, et discutions avec fougue des albums de nos groupes préférés. Si Mat et moi ne jurions que par Queen, Aerosmith ou Led Zeppelin, Alexandre s'était pris de passion pour Judas Priest, un groupe fondateur du hard rock anglais qui a eu des problèmes avec la justice dans les années 1990 après qu'un fan s'était fait sauter la cervelle, persuadé d'entendre un message subliminal d'incitation au suicide en écoutant un de leurs albums à l'envers. Je dois dire que j'adorais aussi leur album *Painkiller* qui venait de sortir, malgré la voix de vieille dame en colère du chanteur Rob Halford, et je laissai ma cervelle en un seul morceau.

L'autre groupe pour lequel Alexandre s'était pris de passion était Manowar. Vous avez peut-être déjà entendu parler de ce groupe de heavy metal du New Jersey, dont le principal titre de gloire est d'être cité dans le *Livre des records* comme le groupe qui joue le plus fort au monde en concert. Quand ils sont sur scène, ils jouent en slip ou en peau de bête, ils posent avec des épées sur leurs couvertures d'albums et hurlent à longueur d'interviews qu'ils sont de véritables bêtes de sexe. Aujourd'hui j'avoue ne plus me souvenir du degré exact auquel je prenais Manowar à l'époque mais je me souviens que je ne les trouvais « pas plus ridicules que ça ». Je vous invite à regarder des photos de Manowar pour avoir une idée de la bienveillance et de l'ouverture d'esprit qui était miennes à cet âge.

Des années plus tard, devenu journaliste, je rentrais des États-Unis et dans l'avion j'étais assis à côté d'une vieille dame américaine toute gentille qui n'arrêtait pas de me parler. C'était vraiment le genre de vieille dame américaine avec une tête à faire des cookies ou des brownies pour tous les enfants du voisinage, ce modèle de mamie gâteau. Comme elle voulait en savoir plus sur moi, je racontai que je revenais d'un voyage de presse où j'avais interviewé un groupe de rock pour un journal. Surprise comme s'il s'agissait d'une coïncidence, elle me demanda « *Do you know Manowar ???* », qui est le dernier nom de groupe que je pouvais m'imaginer qu'elle allait mentionner. Je répondis que oui, je voyais très bien qui étaient Manowar. « *Do you know Joey ??!!* », demanda-t-elle. Elle me parlait bien du bassiste et leader de Manowar Joey DeMaio (le plus macho de la bande en slip). « *Yes I know Joey.* » « *He's soooo adoraaaaaable* », enchaîna-t-elle en m'expliquant que c'était le fils de sa meilleure amie et qu'elle l'avait encore vu la semaine précédente pour le thé chez elle. Quand on me parle de Joey DeMaio depuis ce jour, je l'imagine uniquement remuant un sucre dans une tasse de thé. Ça m'a fait pareil récemment avec le groupe de metal Napalm Death. Je ne sais pas si vous connaissez Napalm Death, mais si ce n'est pas le cas, sachez que ça sonne exactement comme ce que le nom du groupe est censé vous évoquer, mais c'est l'avantage des groupes de grind, ils ont toujours un nom qui annonce la couleur. Je suis le compte Instagram de Shane Embury, le bassiste du groupe, et depuis quatre ans il n'arrête pas de mettre des photos de lui avec sa fille et des petits chats. C'est mignon et attendrissant mais je ne peux jamais m'empêcher de penser à comment il s'y prendra quand il devra expliquer les paroles de ses chansons à sa fille.

Alexandre, donc, était fan de Judas Priest et Manowar. Blondiaux, lui, était devenu complètement fan de WASP, un autre groupe grand-guignolesque dont le chanteur Blackie Lawless avait lui aussi une voix de mégère en colère qui vous chasse de chez elle. À cette époque WASP venait de sortir l'album *The Crimson Idol* pour lequel le groupe avait choisi d'avoir en son sein non pas un mais deux batteurs sur tous les morceaux, mais surtout c'est un disque dans lequel le chanteur fait des solos avec une tronçonneuse. Ce qui faisait bizarre parce qu'en buvant des bières en soirée avec les copains, je pouvais trouver logique de mimer des solos de guitare, mais dès qu'on écoutait WASP, on mimait des solos de tronçonneuse. Je ne me rappelle plus si on le faisait au premier ou au second degré. Le pire c'est qu'à l'époque WASP n'était même pas le seul groupe à faire des solos de tronçonneuse (un seul aurait suffi), Jackyl faisait aussi des solos de tronçonneuse ! La tronçonneuse est à ma connaissance le seul objet de jardinage qui ait jamais réussi à se faire une place dans la musique. Un groupe ou un orchestre qui décide d'intégrer une tronçonneuse dans ses rangs change du tout au tout, les perspectives d'évolution du groupe sont transformées. Petit à petit, Alexandre développait un intérêt grandissant pour le satanisme et commença dès lors à se persuader qu'il était une sorte de suppôt de Satan, un envoyé de Belzébuth. À chaque fois qu'il mettait un disque de metal, il écartait les bras en faisant les oreilles du diable avec ses doigts en semblant penser que mettre ses mains comme ça allait nous impressionner. Pendant les pauses des répétitions, il mettait Judas Priest à fond et nous fixait du regard comme s'il était possédé par le Démon, et nous pendant ce temps on se resservait du Coca. J'ignore s'il tenait vraiment à nous faire peur avec les yeux démoniaques, mais c'était au moins les yeux d'un gars qui veut que ses potes se fassent du souci pour lui. Alexandre espérait vraiment que quand il avait le dos tourné on dirait des trucs du genre : « C'est le Diable incarné. » Sachant qu'on était à Flocques, ça me semblait peu probable qu'Alexandre soit réellement possédé par le Malin. Car bien que peu versé dans la démonologie, j'imaginais tout de même mal Lucifer avoir conscience de Flocques. Quand j'étais à Chinon, j'avais des retours inquiétants sur Alex, surtout par Mat Dormaels qui en tant que catholique pratiquant ne prenait pas à la légère ces histoires de satanisme. « Là, ça devient super inquiétant pour Alex, me dit-il un soir au téléphone. Il s'est mis en tête de se procurer *Le Petit Albert* et *Le Grand Albert*. » J'avais bien compris que Mat avait arrêté sa phrase exprès ici, pour que je lui demande qui étaient ces deux Albert dont il me parlait. Mat m'expliqua que *Le Petit Albert* et *Le Grand Albert* étaient deux grimoires de magie qui permettaient de convoquer les esprits et les démons. Pendant plusieurs semaines, la plupart de nos conversations eurent pour but de savoir comment Alexandre allait se sortir de là, même si ça faisait bizarre de croire qu'il fricotait avec Satan, étant donné que l'une des reprises de notre répertoire musical nous projetait dans un autre univers, où nous rêvions d'un autre monde, où la Terre serait ronde. Un jour, le père d'Alexandre vint nous voir dans la grange et nous dit qu'il avait à nous parler, et c'était vraiment genre *je vais vous la jouer cartes sur table* : « Il y a une brocante bientôt. J'ai parlé au maire il est complètement OK pour mettre une scène. » S'il concédait qu'à part « Un autre monde » de Téléphone, on n'avait pas de morceaux vraiment carrés (celui-ci était même plutôt une sorte de losange), il nous dit clairement que pour lui il n'y avait aucun problème à ce que l'on joue « Un autre monde » plusieurs fois dans la journée, et même tout au long de la journée. Sur le tabouret de sa batterie, Ludovic écoutait en acquiesçant tel un mercenaire qui pèse le pour et le contre avant une mission dangereuse. Avec les autres nous nous regardâmes : ne risquions-nous pas de donner l'impression d'être un groupe essentiellement très influencé par « Un autre monde » ? Un rapide calcul n'était-il pas superflu pour comprendre que ça allait faire trop de fois « Un autre monde » en une seule journée ? Heureusement nous n'eûmes pas besoin de décliner l'offre du père d'Alex car le vide-greniers n'eut jamais lieu. Je n'étais à Eu qu'un week-end par mois et malgré la demi-douzaine de répétitions que nous fîmes au cours de l'année scolaire 1991-1992, nous ne donnâmes pas plus de deux concerts avec Streetfight (un à la Fête du rock de Flocques début juillet 1992 et l'autre à la Nuit du rock d'Étalondes, à un kilomètre de Flocques).

Après la tournée des deux concerts de Flocques-Étalondes, je faisais ma rentrée scolaire à Chinon. Peu de temps après pourtant, le père d'Alex me téléphona pour me dire que le maire de Flocques faisait une soirée avec le conseil municipal et qu'il serait ravi que Streetfight donne une prestation à cette occasion (toujours dans la salle des fêtes de Flocques). Il voulait juste s'assurer que je veille à remercier le maire monsieur Andréi à un moment du concert, et qu'on se tienne bien sur scène. Je remontai donc à Eu à l'occasion de ce concert, et avec Mat, Blondiaux, Alex et Ludovic nous nous retrouvâmes un soir d'octobre sur la scène que nous avions foulée quelques mois plus tôt pour notre premier concert. Pendant que nous jouions, en face de nous mangeaient toutes les huiles politiques de Flocques (maire, adjoint au maire...), et le père d'Alexandre nous avait acheté un pack de 12 bières pour les loges, ce qui faisait l'équivalent de deux bières chacun, plus deux dernières que nous aurions à nous partager. Entre « Highway to Hell » et « Rock'n Roll » de Led Zeppelin, je levai donc ma canette sur scène à « Monsieur Andréi, maire de Flocques » présent dans la salle en saluant les efforts qu'il avait faits depuis plusieurs mois pour aider la scène rock de Flocques (en dépit de la brocante spéciale « Un autre monde » annulée). J'avais vraiment cru tout bien faire et pourtant de retour à Chinon, quelques jours plus tard, je reçus un appel du père d'Alex qui m'expliqua qu'il n'était pas content du tout. Il m'avait demandé de bien me tenir et j'étais venu sur scène avec ma canette, ce qui, selon lui, n'était pas faire montre d'un grand respect pour les membres du conseil municipal. OK pour la pétanque et les combats de rue, mais la Kronenbourg sur scène, il existait des bornes et je les avais outrepassées. Dans la chambre de mes parents, je tenais le combiné sans bien comprendre ses remarques, pensant que je n'avais pas choisi d'être chanteur d'un groupe pour me faire engueuler par le père du bassiste, groupe sur le nom duquel je n'avais qui plus est pas eu mon mot à dire. En raccrochant je sentis une forte odeur de roussi gagner ma motivation dans Streetfight. J'en avais marre de devoir faire 50 km pour faire un concert ou une répétition, sans compter qu'Alexandre n'avait en tête que de pactiser avec Belzébuth et que notre batteur habitait dans un pays où le rythme n'existait pas.

Sur une brocante à Savigny-en-Véron, alors que je me promenais en quête de disques à pas cher après mon arrivée à Chinon, je rencontrai alors un certain Nicolas Boritch qui avait un an de plus que moi et qui vendait des tee-shirts et des cassettes avec son copain Stéphane Dozias.

Je n'ai pas souvenir d'avoir vécu à ce point un autre coup de foudre amical que celui avec Boritch ce dimanche-là, et encore aujourd'hui nous sommes meilleurs amis. Stéphane et lui m'expliquèrent qu'ils ne juraient que par Guns N'Roses, comme beaucoup de gens à cette époque (mais eux plus), et qu'ils étaient en train de monter leur groupe. « Il paraît que t'es chanteur ? » Un pote commun leur avait soufflé que j'étais « chanteur dans un groupe en Normandie ». C'est donc ainsi qu'on me voyait ! Moi qui ne savais pas encore que je me cherchais à l'époque, je m'étais trouvé ! J'étais : le nouveau chanteur qui vient d'arriver en ville. Avant la fin de cette première conversation avec eux, ils m'avaient fait une proposition ferme et m'invitaient à rejoindre les rangs de leur groupe Libido. Hélas, j'arrivais de nouveau un poil trop tard pour avoir mon mot à dire sur le nom du groupe que j'intégrais.

Ian Astbury et moi

Récemment je me suis réveillé tout bouleversé un matin car j'avais rêvé que je parlais avec quelqu'un de qui je me moquais parce qu'il était fan du groupe anglais The Cult. C'est le rêve que j'ai fait : un gars me parlait, me disait qu'il était fan de The Cult, je crois même qu'il était sympa en me parlant, et moi je me foutais de sa gueule, vraiment je le rabaissais. C'est même le seul souvenir précis que j'ai de mon rêve, la méchanceté gratuite avec laquelle je me moquais de mon interlocuteur, une méchanceté qui n'est jamais la mienne dans la vie.

« Pauvre type ! Tu aimes The Cult ? Tu me fais vraiment pitié », je ne parle jamais comme ça dans la vie, mais là dans le rêve, j'étais Patrick Perfide. Le problème qui perturba beaucoup mon réveil, c'est que The Cult est un de mes groupes préférés depuis trente ans. Je ne savais plus où j'étais. Avais-je été sincère dans mon rêve ou me mentais-je à moi-même depuis trente ans ? C'est un peu comme si j'avais mouché en rêve un homme à cause de sa femme, et qu'au réveil je me rendais compte que la femme du rêve, en fait c'était la mienne. Je passai donc une journée entière à me demander si les raisons pour lesquelles j'étais fan de ce groupe depuis trente ans étaient de bonnes raisons, et s'il ne fallait pas que je remette carrément en question toute ma façon de penser.

Et si je me trompais sur tout ? Un jour Blondiaux mit « Spiritwalker » de The Cult très fort dans la voiture de sa mère qui nous emmenait à Flocques pour une répétition, et je devins instantanément fan du groupe grâce à la compilation *Pure Cult*, dont je ne connaissais auparavant que le titre « Edie (Ciao Baby) », coincé entre un morceau de Paula Abdul et un autre de S'Express sur une des compilations Virgin que m'avait données mon cousin représentant. Il y avait suffisamment de super titres sur le disque pour que je m'auto-décrète fan (d'une façon générale, je sais qu'il faut que je me penche sérieusement sur le cas d'un musicien si j'accroche à au moins la moitié des titres du premier album que je découvre de lui). Comme ma seule expérience de fan était Queen, je ne vis immédiatement pas d'autre chose à faire avec The Cult que de m'abonner aussitôt au fan-club, ça me semblait tomber sous le sens. Surtout, ça me donnait l'occasion d'être différent, car fan d'autre chose que de Nirvana que tout le monde adorait à l'époque. Ça faisait de moi le seul fan de The Cult du lycée (où nous n'étions certes que 120 élèves), et si quelqu'un voulait aborder le sujet dans le bahut, j'étais clairement le seul à qui s'adresser, même si un jour je fus stupéfait d'apprendre que le remplaçant de notre prof d'économie adorait Death Cult, la première mouture du groupe, et ça me fit comme la fois dans ma vie où j'ai appris l'amitié entre George Lucas et Dick Rivers. C'était la collision de deux univers trop éloignés. Un jour pendant une récréation j'étais allé lui demander : « C'est vrai que vous aimez The Cult, monsieur ? » et il m'avait dit « Oui j'aime surtout Death Cult le groupe d'avant » et ça m'avait secoué. Quelle trajectoire pouvait bien l'avoir fait passer de fan de Death Cult à l'économie ? Je comprenais environ 10 % seulement de ce que Ian Astbury, le chanteur anglais de The Cult, racontait dans ses paroles. Astbury a toujours été un défenseur de la cause des Indiens d'Amérique et je me demandais si c'est pour cette raison que collés les uns à côté des autres, les titres des chansons de Cult ressemblaient à un banal dialogue de Peaux-Rouges : « Love », « Rain », « Brother Wolf Sister Moon », « Resurrection Joe », « The Witch », « Fire Woman », « Go West », etc.

De tous les chanteurs que j'ai écoutés dans ma vie, haut la main, Ian Astbury est celui qui dit le plus « *baby* » dans ses paroles. Je n'ai jamais trop compris cette insistance qu'avaient les chanteurs de rock à appeler « *baby* » leurs copines dans les chansons, sachant que la première évocation du mot me renvoie toujours immédiatement à l'univers de la puériculture. Même dans la vie, quand j'entends un couple s'appeler « *baby* » ou (plus rare mais pas moins embarrassant) « *babe* », j'ai envie de me précipiter sous les roues d'un camion, comme pour désentendre ce que j'ai entendu. Moi au collège on m'avait toujours appris que « *baby* » voulait dire « bébé ». À cause de ça, chaque fois que j'entends « Baby I'm Gonna Leave You » de Led Zeppelin, je n'y peux rien, la première chose que j'imagine, c'est le chanteur Robert Plant qui fait ses adieux à un nouveau-né à l'entrée d'une salle d'accouchement. Il faut dire aussi que l'exemple de couple stable que j'avais le plus fréquenté à l'époque était mes parents qui ne s'appellent nullement « *baby* » l'un l'autre, mais « Mimine ». Je ne suis pas sûr que la chanson sonnerait pareil si Led Zeppelin avaient chanté « Mimine I'm Gonna Leave You ».

Bandana

En tant que fan de Queen, j'avais eu la bonne idée de ne jamais laisser Freddie Mercury influencer ma façon de m'habiller, il n'était pas besoin de regarder beaucoup de photos de lui pour se rendre compte que ce n'aurait pas été très pertinent. Les costumes de scène de Ian Astbury n'étaient pas moins excentriques que ceux de Freddie Mercury pourtant, et je ne sais si c'est l'âge, mais comme je ne savais pas bien encore vers quoi faire pencher mon look, je crus bon de penser qu'il y avait là une piste à suivre. Ian Astbury mettait des toques à la Davy Crockett, des chemises à fleurs, des plumes dans les cheveux, des pantalons en cuir et des bandanas. Je n'ai jamais réellement essayé de me mettre des plumes dans les cheveux pour ressembler à Ian Astbury heureusement, encore que je l'aurais sûrement fait si j'avais réussi à bien les faire tenir du premier coup, mais ça faisait vraiment trop mal quand on enlevait le scotch. Comme je n'avais ni chemise à fleurs, ni toque à la Davy Crockett, ni pantalon en cuir, je décidai de tout miser sur le bandana, car j'en avais justement récupéré deux par mes cousins fils de commerçants. Selon les jours et l'humeur, j'optais donc pour le look bandana dans les cheveux. Quand on me demandait si c'était pour ressembler à Mike Muir du groupe Suicidal Tendencies (un autre chanteur à bandana très en vogue à l'époque), je précisais bien que non merci, j'avais un peu plus de personnalité que ça, mais j'oubliais juste de préciser que la mienne tapait plutôt sans vergogne dans celle de Ian Astbury. Évidemment, si aujourd'hui je croisais mon moi de 1995, j'aurais sûrement envie de lui faire manger le bandana. Malheureusement, le connaissant, je pense qu'il essaierait de me tenir tête et me prendrait de haut, persuadé qu'il serait d'être celui des deux qui a raison. C'est peut-être pour ça que j'ai rêvé que je me moquais d'un fan de The Cult : au fond de moi je leur en veux de m'avoir fait porter un bandana.

Errances capillaires

Ian Astbury avait aussi les cheveux longs et il les portait très bien si vous voulez mon avis. Un jour où j'avais une bonne grosse tignasse, je me rendis compte qu'en tirant vraiment un maximum sur les cheveux, je pouvais les attacher à l'arrière ! Oh ce n'était pas grand-chose, un zizi de poils gainé à la racine et accroché à ma nuque... mais je n'étais peut-être qu'à quelques mois de la coupe de cheveux de Ian Astbury (j'ai toujours entendu dire que les cheveux poussent au rythme d'un centimètre par mois environ). À l'époque, je trouvais que ça me donnait un petit look de bassiste de jazz-rock, ce qui ne me correspondait pas énormément mais qui avait au moins le mérite de me changer.

Jusque-là les deux seules coupes de cheveux que je connaissais étaient « la brosse » et « la raie » car c'est ma mère qui nous avait toujours coupé les cheveux, et elle ne s'aventurait jamais dans autre chose. Mais même en essayant de rester dans ces chemins bien balisés, en un ou deux coups de ciseaux, elle sortait toujours légè-rement des sentiers battus, quitte à s'égarer dans les broussailles. Ce qui me tint lieu de raie ne fut long-temps qu'une frange longitudinale, parfaitement parallèle à mes sourcils.

Je pouvais enfin emprunter des élastiques à cheveux à ma sœur mais je n'avais pas pensé au souci des longueurs intermédiaires. À quel mouvement musical ma tête me donnerait-elle l'impression d'appartenir dans un mois ou deux ? C'est vers 1995 que j'ai fini par atteindre la longueur de cheveux du Ian Astbury de 1993. C'est l'année qui m'avait servi de référence sur une photo de lui car les années avant, il avait les cheveux encore plus longs (jusqu'au bas du dos), et mon petit doigt m'avait dit que ce ne serait pas une bonne idée sur moi (il ne m'avait pas prévenu non plus que ça ne marcherait pas mieux avec ses cheveux de 1993). Si je mettais une photo de lui à côté d'une photo de moi, je devais me rendre à l'évidence : ça ne marchait pas pareil. S'il évoquait un Berger des Pyrénées de compétition, j'étais un chien de chasse boueux après un dimanche gris et pluvieux dans la campagne. Ses cheveux longs faisaient penser à Los Angeles, mais il continuait d'y avoir écrit « Touraine » ou « Picardie » sur les miens. Ian Astbury devait probablement aller chez des coiffeurs spécialisés. Si par malheur je me séchais les cheveux, l'électricité statique donnait un volume énorme mais uniquement aux cheveux du dessus, qui prenaient dès lors une texture filasse en jaillissant comme une fontaine de poils. Je gagnais facilement un ou deux centimètres en taille uniquement grâce à mes cheveux, ça ne donnait pas l'impression que j'étais plus grand, mais au moins que j'étais plus haut. En plus, je ne m'en étais jamais rendu compte avant, mais j'ai une tête assez ronde (je ne serais pas étonné d'apprendre que vous en parlez entre vous quand j'ai le dos tourné). Et personne ne m'avait jamais vraiment prévenu que quand on se laisse pousser les cheveux, c'est bien de temps en temps de passer un petit coup de rasoir dans la nuque, j'en avais entendu parler mais personne ne m'avait dit que c'était indispensable. Quand je me faisais une queue-de-cheval, je tirais en arrière les cheveux du dessus de ma tête, mais en voulant empoigner le tout, mon pouce embarquait avec lui les poils du cou, si bien que quand je baissais un peu la tête, ça me donnait l'impression de me faire tirer les cheveux mais dans le haut du dos et je me demandais combien de temps il avait fallu aux musiciens de hard rock pour se faire à la douleur. Les musiciens avaient clairement des techniques d'entretien capillaire que j'ignorais, des budgets coiffeur en dehors de mes moyens. Pour entretenir mes cheveux, je n'avais ni plus ni moins que le shampoing Dop que ma mère achetait, avec le monsieur et la dame qui sourient sur l'emballage.

Quand The Cult sortirent en 1994 leur dernier album, qui est encore un de mes disques préférés du monde, quelle ne fut alors pas ma surprise de découvrir que Ian Astbury s'était coupé les cheveux ! J'avais péniblement travaillé mon nouveau style, pour que mon modèle finisse par changer d'apparence. Dans les pages de *Best* (qui consacrait enfin un article à un groupe dont j'étais vraiment fan), il racontait ce qui l'avait conduit à faire un tel choix. Pour lui, l'époque du hard rock flamboyant et tape-à-l'œil était révolue, et de nouveaux courants musicaux comme le rap ou la techno l'avaient inspiré à plus de simplicité et de normalité. Le pire, c'est que les cheveux courts lui allaient aussi bien que les longs m'allaient mal. Je n'ai donc pas gardé les cheveux longs très longtemps, j'ai demandé à ma mère de les couper.

Encore chanteur d'un groupe dont je n'ai pas choisi le nom

J'aurais aimé savoir plus tôt que ce n'était pas la peine d'essayer d'imiter ou de ressembler aux musiciens que j'écoute mais à cette époque-là je ne m'en étais pas encore rendu compte. Comme j'étais également abonné à *Sanctuary*, le fanzine du fan-club de The Cult en Angleterre, il y avait à chaque fois la copie d'une lettre manuscrite signée de Astbury à ses fans et j'avais remarqué qu'il terminait par « *Peace* » avant de signer, il le mettait à la fin de toutes ses lettres. C'était un peu son « je vous prie d'agréer l'expression de mes sentiments distingués ». Comme je sortais avec Sophie qui était partie deux mois au Mexique et qu'on s'écrivait tous les deux pendant qu'elle était là-bas (moi nettement plus qu'elle quand même), j'avais pensé que ça pourrait vraiment être une très bonne idée pour que je

lui manque plus de terminer moi aussi mes lettres par
« *Peace* ». Quand Sophie revint du Mexique, elle commença par m'expliquer que c'était fini entre nous, ce
qui commença par m'achever. Et après elle me
demanda pourquoi je terminais toutes mes lettres par
« *Peace* ». Comme je n'osais pas lui avouer que c'était
parce que Ian Astbury faisait pareil (ou plutôt que je
faisais pareil que lui), je lui dis en me retenant de pleu-
rer (n'oublions pas que j'étais célibataire depuis
cinq minutes) que c'était quelque chose que j'avais toujours fait, de terminer mes lettres par « *Peace* ». Je lui
répondis sur l'air de « je ne vois pas où est le problème,
c'est un truc que j'ai toujours fait » comme si c'était le
truc le plus parfaitement normal du monde de finir ses
lettres par « *Peace* ». Le plus rigolo, c'est qu'aujourd'hui
j'ai un pote qui finit tous ses mails par « *Peace* », et
comme à ma connaissance il n'a jamais été abonné au
fan-club de The Cult, l'autre jour je lui ai demandé
pourquoi il faisait ça, il m'a dit que « c'est un truc qu'il
avait toujours fait ». Je ne sais pas si c'était vrai ou pas,
en tout cas j'ai décidé de ne pas le croire.

« Libido » est le mot qui servait donc de nom au
groupe dont j'étais chanteur. Déjà « Streetfight » je
n'étais pas chaud, alors « Libido », quelques mois seulement après ma première éjaculation… Je trouvais ça
un peu présomptueux de vouloir donner l'impression
que j'étais déjà si décomplexé vis-à-vis de ma sexualité.
Autant mes parents étaient heureux et fiers pour moi
de voir que je mette si peu de temps à m'intégrer dans
cette ville dans laquelle nous venions seulement

d'emménager en devenant si vite chanteur d'un nouvel orchestre (comme disait parfois mon père), autant quand je leur dis que l'orchestre en question s'appelait Libido, jaune fut la couleur de leur rire. En même temps ils avaient compris que le nouveau moi venait livré « avec bandana », ils n'en étaient pas à une confirmation près de ma crise d'adolescence.

Les répétitions avaient lieu dans la cave associative que la ville de Chinon avait attribuée comme local pour les groupes du coin. Notre créneau était le samedi après-midi, généralement entre 14 heures et 18 heures. C'est le père de Nico qui nous amenait en R19 Chamade et en général, on rentrait en stop, le bide retourné après être passé boire des cafés dans les bars de Chinon, en mangeant systématiquement des chamallows et du Galak, en rigolant et en se tordant le bide de brûlures de sucre et de caféine. Et tant qu'une voiture ne nous avait pas pris, on arrivait toujours à rigoler et à parler.

Je découvris qu'en tant que chanteur, les opportunités de s'ennuyer pendant une répétition étaient nombreuses. Nico, Stéphane, François le bassiste et le batteur Mathieu partaient toujours dans d'interminables improvisations autour d'un riff. Je tentais parfois péniblement de chanter des « nin nin yeah » pour trouver des idées de mélodies, mais le plus souvent ça me fatiguait vite et je finissais vautré dans le canapé du local à les écouter faire tourner les instrus des morceaux. Je me demandais comment les chanteurs de tous mes groupes préférés s'occupaient en studio en attendant que les musiciens aient fini d'enregistrer la partie instrumentale, s'ils faisaient du bilboquet ou des réussites. Nico était souvent tendu pendant les répétitions car c'était un peu lui le chef du groupe. Alors, si au milieu d'un morceau François faisait une fausse note ou s'emmêlait dans le rythme (il jouait toujours les notes dans le bon ordre mais jamais en rythme), Nico arrêtait carrément de jouer, en regardant au loin d'un air vexé comme si on s'était ligués pour lui faire passer une mauvaise journée, et on devait reprendre le morceau depuis le début.

J'étais tellement fan de The Cult que j'avais trouvé le moyen d'adapter un peu ma façon de chanter à celle de Ian Astbury, qui a une façon de forcer sur sa gorge quand il chante dont je ne peux pas dire qu'elle n'appartient qu'à lui, puisque je trouve que Véronique Samson fait un peu la même chose, surtout quand elle fait le son « o » dans « rien que de l'eau de l'eau de pluie de l'eau de là-haut ». Dès que je faisais sonner ma voix comme ça, Nico me grillait, il s'arrêtait de jouer et il disait « Tu chantes comme The Cult » en regardant au loin. Le pire c'est que Stéphane m'enfonçait en soutenant qu'il était d'accord, je chantais vraiment en imitant The Cult. « Si, si tu fais The Cult. » Au bout d'un an, notre répertoire était constitué de trois compositions et deux reprises de Guns N'Roses, ou plutôt une reprise de Guns N'Roses et une autre de Bob Dylan dans sa version abominablement mutilée par les Guns N'Roses : « Knockin' on Heaven's Door » (sûrement l'un de leurs plus mauvais morceaux mais aussi l'un des plus faciles à jouer). Régulièrement je tannais Nico et Stéphane pour qu'on fasse une reprise de The Cult mais comme par hasard ils se mettaient toujours à parler d'autre chose quand je lançais l'idée. Un jour ils m'annoncèrent qu'ils s'étaient enfin décidés à augmenter notre répertoire d'une nouvelle reprise. Ils étaient un peu désolés de me l'annoncer mais ils avaient décidé qu'on allait reprendre un troisième morceau de Guns N'Roses : « It's So Easy ». « Il est vraiment trop énorme ! » dirent-ils en pensant que c'était assez pour se justifier et me convaincre. J'ajoutai donc ce titre à la liste de ceux que je chantais et rechantais tous les samedis, et pour me venger je la chantais un peu comme The Cult.

C'est à cette époque que Stéphane a rencontré sa petite copine Jasmine, avec qui il est encore aujourd'hui et a eu des enfants (mais ça aurait fait bizarre de marquer « et c'est là que Stéphane a rencontré sa femme » car on avait que 16 ans à l'époque). Jasmine le conduisait à chaque répétition, et venait le chercher. Mais quand Stéphane a commencé à se rendre un peu moins disponible pour les répétitions, Nico n'a pas tardé à entrevoir en elle la Yoko Ono de notre groupe. C'est aussi le moment où on a découvert le premier album de Rage Against The Machine et son mélange de rock et de rap qu'on a trouvé tellement bien qu'on a commencé à avoir honte de nos précédents morceaux. C'est vraiment l'époque où partout dans le monde, plein de groupes de rock se mettaient à faire du rap mélangé au rock et on trouvait vraiment fantastique de dire qu'on écoutait de la « fusion ». Alors très vite on s'est mis à travailler sur des morceaux avec un peu de « rap » dedans (j'insiste sur les guillemets autour du mot « rap » car je rappelle que c'était moi le chanteur). On a assez rapidement eu deux titres qui faisaient vraiment penser à du RATM mais toujours avec un côté Chinon. Ces deux titres dénotaient énormément dans notre répertoire, ça sautait aux yeux et aux oreilles qu'on venait de prendre le train de la mode en marche car nos morceaux d'avant et nos reprises de Guns N'Roses n'avaient rien à voir avec du rap rock. On s'en serait bien débarrassés mais comme on avait mis deux ans à les peaufiner, ça faisait beaucoup de répétitions pour rien d'un seul coup. On était comme quelqu'un qui a envie de changer entièrement sa garde-robe pour qu'elle corresponde au style de ses deux derniers vêtements achetés.

Les mirobolantes offres du Club Dial

Inlassablement je continuais d'amasser des disques et il me semblait que plus j'en avais plus c'était joli quand on entrait dans ma chambre. Un jour en revenant d'une répétition de Libido, je gagnai le salon de mes parents pour la lecture relaxante d'un bon *Télé 7 Jours* avachi dans le canapé. C'était quand même un bon magazine. Quel plaisir d'y trouver des nouvelles de Patrick Duffy, l'acteur que j'avais vu enfant dans la série *Dallas* ! Alors que je terminais la lecture d'une interview de Lee Majors de *L'Homme qui tombe à pic* où il y avait une photo de lui en train de trinquer dans un restaurant avec son partenaire de jeu (celui qui interprétait Howie), je fus intrigué par une publicité du magazine. Je l'avais déjà vue dans d'autres numéros de *Télé 7 Jours*, mais ma mère ne voulait pas garder les numéros que nous achetions chaque semaine (à mon grand dam). C'est quelque chose que, plus jeune, j'avais bien été tenté de faire, mais très tôt dans la vie j'ai eu le nez de constater qu'il peut y avoir quelque chose de bizarre dans le fait de stocker tous les vieux numéros de *Télé 7 Jours*, et l'expérience m'a montré que les gens qui gardent les programmes télévisés ont toujours plus ou moins à voir avec l'univers des clochards.

C'est la première fois que l'intérêt de cette pub me frappait de plein fouet : c'était une pub pour le Club Dial. Comment pouvais-je ne pas succomber aux délices d'adhérer à un nouveau club ? Le Club Dial me semblait être comme France Loisirs, mais en mieux. La pub présentait les pochettes de CD d'une centaine d'albums qui faisaient l'actualité : Cabrel, Mozart, Dire Straits, Jean-Louis Aubert, IAM… il y en avait vraiment pour tous les goûts (goûts du grand public essentiellement). Cette offre proposait de recevoir « gratuitement » et immédiatement 3 CD à choisir dans la liste, il y avait juste à remplir le coupon, le renvoyer, et bim ! on recevait les

disques ! Certes il était écrit en tout petit que l'on s'enga-
geait aussi à acheter au minimum un album par trimestre pendant deux ans. Je crois que dans mon
souvenir ce sont des lignes que j'ai lues, mais je suis
bien obligé de reconnaître aujourd'hui que dans mon
souvenir (maintenant ça me revient) j'ai préféré l'oublier
aussitôt après l'avoir lu. J'étais surtout intéressé par les
3 CD gratuits du début du deal. Je choisis donc *Dange-
rous* de Michael Jackson, *Nevermind* de Nirvana (jusque-
là ça m'embêtait de mettre 120 francs dans un disque
que tout le monde avait chez lui) et pour ne pas paraître
trop suspect je choisis aussi *Samedi soir sur la terre* de
Francis Cabrel en pariant vaguement sur l'idée que s'il y
avait un éventuel souci, ma mère pourrait s'étonner du
fait que j'aie commandé un album de Francis Cabrel :
« Bah c'est bizarre on a reçu une lettre qui dit qu'il faut
payer des disques mais y a Francis Cabrel dedans c'est
pas toi qui as commandé ça ? » Je trouvais que ça marchait bien d'imaginer ma mère dire ça, et qu'elle puisse
penser qu'il y avait eu une erreur de livraison. Persuadé
que mon stratagème allait marcher à merveille, je ren-
voyai le coupon et reçus le colis une semaine plus tard :
trois nouveaux CD à ma collection d'un coup ! Deux
centimètres de plus environ ! Réjoui par cette illusion de
gratuité, je reconnus à Kurt Cobain et à Michael Jackson
le génie qui était le leur, mais n'ouvris pas le Cabrel « au
cas où ». Pendant de nombreux mois je reçus le catalogue du Club Dial qui voulait donc que j'achète mon
CD trimestriel chez eux, mais je découvris que le club
pratiquait des prix de loubards ! Déjà que je n'avais pas

prévu de leur acheter de disque à la base, là c'était encore moins bien barré pour que ça arrive ! Je décidai donc d'ignorer tout bonnement leur catalogue (à l'encontre donc de la règle édictée dès le début qui devait me faire acheter 8 disques en deux ans). Je ne sais plus combien de temps il s'écoula entre la réception du dernier catalogue et la première enveloppe de rappel de paiement imprimée à mon nom. Je lisais en secret dans ma chambre la lettre d'Evelyne Pélissier du service recouvrement du Club Dial et je me demandais si voyant que j'avais commandé Nirvana et Michael Jackson, elle se dirait que j'étais jeune et passerait l'éponge. Je me rappelle que ça devait être une fin de trimestre parce que j'étais *déjà* en train de cacher le bulletin scolaire qui suggérait un redoublement en seconde et je me disais que cacher la lettre du Club Dial en plus, ça commençait à faire beaucoup de courrier dissimulé.

Un jour pourtant je revins du lycée et en arrivant ma mère me dit « Qu'est-ce que c'est que ces disques que tu as commandé dans *Télé 7 Jours* ? » Ma mère n'avait pas retenu le nom du club, mais seulement compris que j'avais fini par céder à la pub pour les « CD gratuits » qu'on voyait toutes les semaines au dos du programme télé. Elle avait capté direct que j'avais commandé les CD dans *Télé 7 Jours*. « Tu as reçu une lettre d'huissier. » Pour moi à l'époque un huissier c'était moins grave qu'un policier ou un gendarme, ça restait quelqu'un avec qui on pouvait discuter. Mais ma mère ne voulut pas discuter. Le Club Dial avait certainement compris que je voulais surtout profiter des CD gratuits et qu'il ne fallait pas compter sur moi pour commander du Céline Dion dans leur catalogue, du coup l'huissier demandait le remboursement immédiat des trois CD. Une fois que ma mère fit le chèque, je ne reçus plus jamais de catalogue. Je pense que le Club Dial était fâché après moi. Mais surtout quand je dus rembourser ma mère des trois CD, ça me fit mal de devoir payer plein pot un CD de Francis Cabrel que j'avais acheté juste pour faire croire à ma mère qu'il y avait eu erreur sur la commande, d'autant que ma ruse n'avait pas du tout marché.

Du rock Chinon rien

Le 6 août 1994, Libido donna son premier concert au River Rock Café de Chinon, un pub ouvert depuis peu et que nous considérions (sans rire) comme le Hard Rock Cafe de Chinon (qui aurait juste remplacé *hard* par *river*). Le « river » était probablement lié au fait que le bar était situé au bord de la Vienne car à Chinon tout est « au bord de la Vienne ». Début août à Chinon il y a le marché médiéval où tout le monde (même les jeunes) s'habille de façon médiévale pour que ça justifie de boire du vin dans toute la ville en grande quantité. Les rues et les terrasses sont remplies de gens et de touristes, ce n'est pas la période la plus difficile pour jouer dans un bar plein. J'étais monté sur scène avec mon look de Ian Astbury fait avec les moyens du bord, et j'avais *en plus* mon tee-shirt « Love » de The Cult, que j'avais miraculeusement trouvé à 50 francs lors d'une brocante. Pour l'occasion nous avions travaillé la reprise d'un titre qui n'était pas de Guns N'Roses (!), ce qui avait donné une sorte de coup de fouet à notre répertoire. Comme c'était une reprise d'un groupe très peu connu (Mutha's Day Out) ça donnait un peu le change et les gens pouvaient parfaitement croire qu'il était de nous. Au bout d'une petite trentaine de minutes, nous n'avions plus de morceau à jouer alors que le public commençait tout juste à être chaud mais les deux derniers titres avaient suscité tant d'intérêt que le patron nous invita à les rejouer. Nous rejouâmes donc « Stop the Groove » puis « We All Bleed Red ». Puis encore une fois, et encore une autre, et encore au moins une ou deux fois si mes souvenirs sont exacts. Quelques mois plus tôt avec Streetfight je n'avais finalement pas donné le concert spécial « Un autre monde » au vide-greniers de Flocques mais l'heure des concerts avec morceaux à répétition était enfin venue. Plus le public était ivre (ce que nous commencions aussi à être un peu sur scène) plus nous jouions les mêmes morceaux, et plus il était déchaîné. Au bout d'une bonne demi-heure à rejouer les deux mêmes titres en boucle, j'eus l'impression que j'avais mis le doigt quasi précisément sur ce qui peut faire le sel d'avoir été membre de Led Zeppelin et ce, sans bouger de Chinon. Ça ne dura qu'une demi-heure mais ce fut épique. Le lendemain, dans les rues du marché médiéval, reconnaissable au fait que j'avais gardé le même bandana et le même tee-shirt dans lequel j'avais eu bien chaud la veille (il n'y avait pas beaucoup de jours où il ne m'importait pas que les gens sachent que j'étais fan de The Cult donc je portais souvent ce tee-shirt), je reçus avec Nico des félicitations pour notre prestation. Guillaume, le responsable de l'association ROC de Chinon, nous félicita également mais nous fit totalement redescendre en nous disant que le concert avait été super, mais qu'il ne fallait pas nous attendre à ce que ce soit tout le temps comme ça, que les conditions s'y étaient aussi parfaitement prêtées avec la fête dans la ville et le bar plein à craquer avant même que ça commence. Gentiment, il voulait juste nous prévenir de ne pas nous emballer. Et nous, on se demanda vraiment ce que c'était son problème, à ce gros jaloux. Quelques mois plus tard, le même Guillaume organisa une réunion pour présenter le projet d'une compilation de tous les groupes de Chinon. Nous étions exactement sept groupes et l'association proposait de financer la production d'un CD compilation regroupant deux titres de chaque groupe. Jusque-là si nous voulions écouter notre musique, nous pouvions seulement nous enregistrer avec une cassette dans le local de répétition, comme je le faisais avec mon frère devant la télé. Là, ma voix allait apparaître pour la première fois sur un CD, j'allais avoir droit au même traitement que Freddie Mercury ou Ian Astbury. Bientôt ce CD serait à côté de ceux d'Aerosmith, des

Pogues ou de Mötley Crüe dans ma collection. Le serpent se mordait la queue. Guillaume nous annonça que le nom provisoire prévu pour la compilation était « Du rock Chinon rien », en conséquence de quoi je refusai que la réunion s'arrête tant qu'on n'avait pas décrété que « Du rock Chinon rien » était officiellement et définitivement le nom de la compilation, tant je me mettais à genoux devant le génie de ce jeu de mots sensationnel. « Ça ne peut pas être autre chose, c'est trop parfait comme nom », pensai-je.

Libido donna encore en tout et pour tout quatre concerts, dont un annulé (qui faillit purement et simplement remettre en question l'existence même du groupe) et un autre que nous donnâmes à Langeais (sans Stéphane qui n'avait pas pu venir) au début duquel je m'écroulai de rire au milieu d'un morceau après que François le bassiste avait glissé sur scène en sautant pour haranguer le public. Notre dernier concert, ou le dernier d'une tournée de cinq dates que nous avions commencée deux ans plus tôt, fut donné dans un festival dans la banlieue de Tours le premier week-end de juillet 1996. Le festival s'appelait le Grand Bourreau avec uniquement des groupes locaux. J'avais du mal à imaginer qu'il n'était pas fréquenté que par des gens frustrés de ne pas pouvoir aller aux Eurockéennes de Belfort qui avaient lieu exactement au même moment avec des vrais groupes connus de New York ou de Chicago. Le gars qui nous avait bookés sur le festival s'appelait Robert et gérait la MJC de Joué-lès-Tours où nous avions donné un concert (un des cinq de la tournée). Nous n'avions joué que huit morceaux et comme Robert avait été étonné du point auquel les morceaux étaient en place (tu m'étonnes), il nous avait proposé un spot à la prochaine édition du Grand Bourreau sur la grande scène. On ne connaissait pas le Grand Bourreau mais comme on avait entendu « grande scène » nous nous dîmes vite Nico et moi qu'il allait probablement falloir que nous songions à abandonner nos études pour nous consacrer entièrement aux grandes scènes. Le jour où on arriva à Monts sur le site du Grand Bourreau, il y avait une petite scène et une grande scène. Douze groupes étaient à l'affiche. Huit devaient se produire sur la petite scène de midi à 19 heures, puis quatre autres sur la grande scène. Robert nous fit appeler dans son bureau et nous annonça qu'il avait un problème logistique et que ce serait mieux pour nous de jouer en dernier sur la petite scène, avant que ne démarrent les concerts de la grande. Le ciel venait de nous tomber sur la tête, alors Nico commenta que ce n'était pas du tout ce qui était prévu, en disant « On a dit quelque chose, on s'y tient ! » et qu'il voulait jouer sur la grande scène, où il était entendu qu'on devait passer en premier. On n'avait pas compris à quel point le problème logistique de Robert allait nous tomber en plein sur la tête : tout l'après-midi les artistes de la petite scène avaient donné des concerts devant une foule compacte mais nous dûmes commencer notre concert sur la grande scène au moment même où s'arrêtaient les concerts sur la petite. Nous avons donc démarré au moment où tout le public s'était déporté vers les buvettes et les stands de sandwichs aux merguez. Nous donnâmes alors une performance déterminée et généreuse, mais devant un champ absolument vide. Il existait une vidéo de cette prestation où je n'étais pourtant pas peu fier de me donner à fond sur scène avec mon bandana et la chemise à l'effigie du groupe anglais Def Leppard que j'avais gagnée en participant à un concours sur RTL quelques semaines plus tôt, mais heureusement, la bande de la cassette s'emberlificota un jour dans le magnétoscope de Nico et la seule trace filmée de ce moment de solitude a disparu. C'est quand même ce jour-là que j'ai compris que dans la vie, s'il y a une phrase qu'il faut savoir ne pas utiliser, c'est : « Mais c'est pas ce qu'on avait dit !!! » Les choses bougent, les choses changent, les gens changent d'avis. Un gars qui change d'avis n'est pas nécessairement en train de vous entuber. Il peut le faire pour votre bien. Parce qu'après on se méfie de tout le monde, on veut rester « bien sur ses principes », et finalement après quand on joue sur une scène dans un champ, le champ est vide. Pour une raison que j'ai complètement oubliée aujourd'hui, nous chantions le générique de la pub Danette au milieu d'un morceau, ce qui dut faire bien rire les millions de mètres cubes d'air vide qui se trouvaient pile en face de nous. C'est presque un an plus tard que nous reçûmes le CD de la compilation « Du rock Chinon rien ». Il y avait eu des soucis de fabrication. Le CD contenait quatorze titres, douze des autres groupes et les deux que nous étions allés enregistrer dans un studio de Saint-Paterne-Racan. À la base, ce disque avait vocation à servir de carte de visite aux groupes de Chinon, pour se faire connaître et pour trouver des dates de concert. Mais assez malheureusement, six des sept groupes n'existaient plus quand le carton des CD arriva enfin à l'association.

Une entrée fracassante dans l'univers des téléfilms

En 1995, j'étais aussi membre d'une petite compagnie de théâtre amateur avec laquelle on répétait tous les mardis soir un spectacle de Luigi Pirandello, une pièce qui s'appelait *Liolà* que je ne trouvais pas vraiment terrible mais qui me permettait de sortir de chez moi tous les mardis soir. Ça date vraiment de l'époque où je ne voyais pas la différence entre le théâtre et le théâtre classique, je n'avais pas encore imaginé qu'on pouvait faire autrement. Un soir un homme d'un certain âge avec une pipe dans la bouche vint assister à une répétition, accompagné d'un couple que j'imaginai tout de suite parisien, je m'étais dit ça en voyant leurs habits. À la fin de la répétition, ils nous réunirent dans un coin de la salle des fêtes d'Avoine. L'homme à la pipe nous dit qu'il s'appelait Maurice Failevic, qu'il était réalisateur et qu'ils étaient à la recherche d'acteurs et de figurants pour son prochain film (un téléfilm en

106

fait, et je vais même être honnête, un téléfilm pour FR3). Le réalisateur vint me voir et me demanda si j'étais libre au mois de juin car il avait en tête de me donner un rôle, et il me sembla d'un coup qu'il n'y avait plus qu'un pas d'Avoine à Beverly Hills. Le réalisateur et ses deux assistants fixèrent un rendez-vous chez moi pour qu'on ait le temps de parler et deux jours plus tard, la cloche sonna à la maison car nous n'avions pas de sonnette mais une cloche, et quand j'ouvris la grille du jardin et que je le vis là avec ses deux assistants qui s'appelaient Marc et Catherine, je me dis que c'était la première fois qu'un réalisateur venait chez moi, et je ne pus m'empêcher de penser que mes parents devaient être fiers. La porte de ma chambre donnait sur le jardin, je les fis entrer tous les trois en me disant « ils vont halluciner sur tous les CD que j'ai ». Je revois donc Maurice Failevic assis sur mon lit entouré d'affiches de Led Zeppelin, Aerosmith, The Cult et Queen et je sentis qu'il y avait peut-être trop de posters à son goût. Il me demanda si j'aimais le cinéma et il n'est pas impossible que j'aie utilisé les boîtiers de fiches de Pierre Tchernia qui trônaient encore sur mon étagère pour lui démontrer que oui. Toujours est-il que deux mois plus tard, alors que mes parents me tannaient pour trouver un job d'été d'un mois, je fus embauché sur le tournage de la fiction *Capitaine Cyrano* pour une durée de cinq jours, près de Bourgueil, pour un salaire équivalent à celui d'un mois du « petit boulot d'été » que mes parents attendaient de moi. Sur le tournage j'enregistrais mentalement la tête d'un des comédiens principaux, Pierre

Aussedat, en regrettant qu'il ne soit pas davantage connu. Pour n'avoir jamais oublié sa tête je fus tout de même épaté de voir qu'il avait joué un clerc de notaire dans *L'Avare*, et qu'il se fait même taper dessus par Louis de Funès dedans, ce qui ne me mettait qu'à un degré de séparation de Louis de Funès, ce n'est rien de dire que je trouvais ça fou. Un midi à la cantine du tournage, j'eus la chance de déjeuner à la table de Jean-Claude Carrière qui était coscénariste du film mais dont j'ignorais encore tout de la légende qu'il était. Ceux qui ont vu le (télé)film s'en souviennent probablement encore : je jouais le rôle du jeune homme au drapeau (bien que seulement mentionné « un jeune villageois » au générique de fin). Oui c'est bien moi qui disais la réplique « Je l'ai retrouvé dans notre grenier » (en parlant dudit drapeau) ainsi que « Oh là là, y a Croix-Gency qui brûle, on dirait ! » qui était mon autre réplique, que je devais déclamer après être monté sur une échelle appuyée contre la devanture de la mairie de Courléon où se tournait le (télé)film. Mon bulletin de salaire précisait que j'étais « silhouette parlante », statut que j'imaginais en dessous de celui de comédien, mais au-dessus de figurant, ce qui me donnait un peu l'impression de brûler des étapes. Un an plus tard, le film sortit sur les écrans (de télévision). Bien qu'occultant totalement ma prestation, les critiques furent dithyrambiques et *Télé 7 Jours* mit 777 au film.

Le névrosé de la Fnac de Tours

Après quatre années passées à Chinon, emménager à Tours pour « mes études » me donna l'impression de monter à Paris. J'avais choisi la fac d'anglais parce que c'était la seule matière dans laquelle j'avais un peu de niveau, même si je n'arrivais pas à imaginer le métier qui m'attendait à part prof d'anglais ou traducteur. Aussi loin que je pouvais me projeter, je me voyais mal expliquer plusieurs années de suite à des classes entières que « *Peter is riding a bike* ». Traducteur, je ne le sentais pas trop non plus : c'était certainement trop tôt pour me faire une idée, mais je ne voyais vraiment pas quoi traduire. Pourtant fac d'anglais, c'est bien ce que j'avais fini par « choisir », avec l'impression que jusque-là, quand on me parlait de mon avenir et que je parlais des métiers que je voulais faire, on me disait « T'en fais pas ! T'as tout le temps de réfléchir ». Mais depuis que j'avais eu le bac, d'un coup on me disait « Alors tu veux faire quoi maintenant ? » Il faut dire que quand on me demandait ce que j'aimais dans la vie, la première chose qui me venait en tête c'était « les bons refrains et la tarte au citron meringuée », ce qui, même pour le plus chevronné des conseillers d'orientation, n'offrait que des indices assez faibles pour m'aider à trouver un métier.

Dans un catalogue des apprentissages et des métiers, j'avais vu qu'il existait une formation de disquaire pour les vendeurs de la Fnac et quand j'en avais parlé à mes parents, ils avaient soupiré en levant les yeux au ciel, alors que ça ne me semblait pas si bête d'envisager un métier dont je connaissais déjà les principales ficelles : tripatouiller des CD. En vrai, les deux seuls métiers qui me faisaient rêver étaient comédien et journaliste (mais dans la musique). Je n'imaginais rien de vraiment épanouissant ailleurs. Mes parents louèrent une chambre chez une vieille dame à côté de la fac des Tanneurs. L'emplacement de cette chambre était pratique car j'étais à deux pas de tous les disquaires de la ville. Il n'y a donc pas une journée des trois années passées à Tours où je ne sois pas allé à la Fnac. Tous les jours je regardais les rayons de mes groupes préférés, comme s'il y avait une chance qu'ils sortent un nouveau truc chaque semaine. Je ne sais pas de quel œil on regarderait aujourd'hui un client qui passe tous les jours dans un magasin sans rien acheter, mais en 1996 déjà, pas de doute, je passais pour un névrosé aux yeux des vendeurs de la Fnac de Tours.

Mes parents me donnaient de quoi vivre à raison de 30 francs par jour pour manger, alors pour arrondir les fins de mois, j'achetais des disques d'occasion que je sélectionnais soigneusement, et je les revendais chez d'autres disquaires d'occasion, en faisant parfois des plus-values de 10 francs. Je passais alors à la nouvelle sandwicherie qui avait ouvert à l'angle de la rue du Docteur-Bretonneau et de la rue du Grand Marché, j'y achetais un sandwich brioché au surimi qui coûtait dix balles pile, que je mangeais en contemplant la Loire avec le sentiment délicieux qu'il ne m'avait rien coûté, ce qui se mélangeait très bien avec la mayonnaise du sandwich. Je me demandais toutefois comment le gars qui avait ouvert la sandwicherie pouvait joindre les deux bouts en vendant seulement 10 francs ses délicieux sandwichs, me préoccupant plus de ses deux bouts à lui que des miens. En sautant le petit-déjeuner, j'étais tout de même parvenu à calculer qu'à raison d'un sandwich par repas, il ne me suffirait que de 20 francs par jour pour me nourrir dans la vie ! Au pire, si je devenais SDF, je me disais qu'en étant poli avec les gens en leur demandant une petite pièce, ça ne représenterait que trois ou quatre heures de mendi-cité par jour. J'étais sûr que ma connaissance des règles de politesse élémentaires suffirait à faire de moi un bon mendiant. J'avais remarqué que certains n'étaient pas toujours très polis, et je me disais à leur sujet « mais change de job si t'as pas le profil mec ! ».

Je m'étais également lié avec un disquaire de la Fnac, ce dernier était OK pour reprendre en rayon à leur prix de vente des CD que j'achetais encore scellés pour 20 francs les trois chez un soldeur. Il risquait probable-ment sa place à faire ça, mais comme il me trouvait sympa et rigolo (et aussi certainement insistant), il vou-lait bien. Je ne sais pas comment il s'y prenait mais sans aucun ticket de caisse je me retrouvais avec environ 400 francs de bons d'achat à la Fnac en échange de trois CD que j'achetais vingt francs le lot. C'était la poule aux œufs d'or et même plutôt aux disques d'or. Je passais des heures dans les allées du magasin à choisir ce que j'allais prendre, jubilant du pouvoir conféré par mes bons d'achat. Pour mes 18 ans, ma grand-mère maternelle m'offrit 4 500 francs qui étaient censés payer mon permis de conduire. Je n'avais jamais vu autant d'argent sur mon livret A, mais à chaque fois que j'en lisais le montant, j'étais préoccupé à l'idée que cette somme était censée me faire conduire un véhicule à moteur. Je n'ai jamais eu le moindre intérêt pour les voitures. Je n'ai jamais aimé les voyages en voiture et je n'ai jamais compris que tant de gens conduisent si détendus à 100 km/h sans se dire qu'*à tout instant* peut surgir quelque chose sur la route. J'ai eu évidemment (et malheureusement) deux fois l'occasion de vérifier cette intuition, puisque des années plus tard, avec un ami nous reçûmes un parpaing jeté du haut d'un pont d'autoroute qui explosa notre pare-brise en pleine nuit, et avec le même ami un chevreuil vint percuter notre voiture. Encore aujourd'hui je suis abasourdi quand on me dit « Tu as peur en voiture parce que tu ne conduis pas ! Si tu conduisais, tu aurais confiance. » Est-ce si compliqué à comprendre que ce n'est pas en moi que je n'ai pas confiance mais en les chevreuils ! Phrase à laquelle il se trouve toujours quelqu'un pour me répondre « Oui mais à ce moment-là, tu ne sors plus de chez toi au risque de te faire renverser par une voiture », ce qui confirme encore une fois ce que je dis : le problème c'est les voitures. Conduire est un risque aberrant et je ne comprends tout simplement pas que tant de gens le prennent. Bref, l'auto-école n'avait demandé qu'un premier versement de 1 500 francs que je fis car à ce moment-là je pensais encore que j'irai jusqu'au bout, mais une fois que j'eus le code, je me dis que c'était bien assez comme ça, je pourrais toujours utiliser ma connaissance *en tant que passager* (« hey regarde ! ce panneau, ça veut dire : interdiction de se garer ! ») et je me mis à me demander combien ça ferait de nouveaux CD dans ma collection si j'en achetais pour 3 000 francs. J'en conclus que ça ferait « beaucoup de nouveaux CD » et j'abandonnai donc pour toujours le Projet Permis de Conduire, ce qui n'était pas une mauvaise opération pour l'auto-école qui avait empoché 1 500 francs pour quelques leçons de code. Finalement c'est pas si grave, même aujourd'hui je trouve toujours quelqu'un pour me ramener chez moi ou me conduire à la gare.

Avant d'intégrer la fac, la principale info que j'en avais retenue est qu'assister aux cours magistraux n'était pas obligatoire. C'est vraiment un truc qui m'a marqué dès que je l'ai appris et que j'avais déjà complètement intégré dès mon arrivée à l'université. Il était fortement recommandé pour quiconque souhaitait obtenir le diplôme à la fin du cycle d'assister aux cours, mais même si « fac » est l'abréviation de « faculté », je l'ai très vite assimilée à celle de « facultatif ». Les premiers mois j'y suis un peu allé parce que j'avais repéré une fille incroyablement jolie qui me plaisait beaucoup, mais quand j'ai commencé à sympathiser avec elle, elle m'a très vite parlé de son petit copain qui habitait à Orléans, et à partir de là je n'ai plus vu le moindre intérêt d'y retourner.

Fan de Korn

Je commençais à traîner pas mal dans un des principaux bars « rock », le Brind'Zinc, dans lequel il fallait toujours hausser la voix pour se faire entendre de son interlocuteur tant le patron mettait sa musique fort. Les consommateurs profitaient copieusement du fait qu'à l'époque on avait encore le droit de fumer dans les bars. Tous les mardis avaient lieu au sous-sol les répétitions d'une petite compagnie de café-théâtre que j'avais intégrée : les Abonnés Absents. Elle avait été montée par Stanislas Hilairet, dont je ne peux comprendre aujourd'hui qu'il n'ait changé son nom en *Stanislas Hilarant*, tant il est une des personnes les plus drôles que j'ai rencontrée dans ma vie (ceux qui ont vu son spectacle *Les Contre-Visites guidées de Jérôme Poulain* dans lequel il organise des visites de ville dont il réinvente complètement l'histoire savent de quoi je parle).

Au Brind'Zinc, je rencontrai Bruno, le patron, un petit blond avec une banane qui organisait des concerts tous les week-ends dans son café. Tous les lundis il me disait « T'es pas venu ce week-end » mais moi le week-end je rentrais chez mes parents, alors il se mettait à me raconter que les Pleasure Fuckers avaient retourné son bar le samedi. Les Pleasure Fuckers était un groupe punk espagnol qui comptait parmi les centaines que Bruno faisait jouer dans son bar et dont je n'avais strictement jamais entendu parler. J'avais un peu l'impression de m'être éloigné du landerneau (un de mes mots

114

préférés) du metal. Parce que j'écoutais des groupes de rock qui avaient incorporé des éléments de rap et parfois d'electro, il me semblait que rien n'était plus classe que de dire que j'adorais désormais « la fusion ». Le mot était très en vogue à l'époque et désignait les groupes de rock de Blancs qui avaient subi l'influence rap des Beastie Boys et de Rage Against The Machine. Le fait d'écouter les Suédois de Clawfinger ou les Anglais de Senser, les Hollandais de Urban Dance Squad ou les Canadiens de Raggadeath, qui mixaient tous rap et rock, ou reggae et rock, me donnait l'impression d'être dans un véritable bouillon de cultures (oui je le pensais vraiment). Je me mis à écouter NTM vers qui j'arrivai, paradoxalement, par le rock. J'avais aussi gagné sur RTL le CD des chansons inspirées par le film *La Haine*, et ajouter ce CD à ma collection m'avait persuadé de comprendre les gens qui habitaient Sarcelles ou Aubervilliers. Aussi ridicule que cela puisse paraître, j'avais le sentiment qu'être passé par les Red Hot Chili Peppers et Rage Against The Machine légitimait désormais le fait que je m'intéresse au rap, comme s'il fallait être passé par quelque part pour légitimer le fait de s'intéresser à quoi que ce soit. Le rock m'avait fait faire du « air guitar » dans ma chambre, mais je sentais bien qu'il y avait quelque chose de pas logique dans le fait de faire du air-NTM, ça me forçait à faire les gestes que font les rappeurs avec leurs mains et leurs bras quand ils scandent les paroles, qui étaient des gestes que je ne faisais jamais d'habitude. Je trouvais la musique super mais je n'avais pas l'impression d'être crédible en me glissant dans la peau d'un fan de NTM. Et même en écoutant « Qu'est-ce qu'on attend pour foutre le feu ? », « Police » ou « Plus jamais ça » je sentais bien que je singeais une attitude et une histoire qui n'étaient pas les miennes. Au fond, je n'avais pas tant envie que ça de foutre le feu. Foutre le feu à Beaumont-en-Véron, on m'aurait retrouvé en deux secondes, et même Tours, j'aimais bien la ville. C'est dans ce contexte de guérilla urbaine mentale que je découvris un jour de 1996 le premier album du groupe californien Korn que j'ai écouté en boucle pendant plusieurs mois sans parvenir à trouver autre chose à lire à leur sujet qu'un article de deux pages dans un magazine de metal. Comme j'avais été membre des fan-clubs de Queen et de The Cult, j'adressai un courrier à l'adresse des « Fans Uv Korn » qui était mentionnée dans l'album, mais ne reçus jamais de réponse. Je me levai un matin, réveillé par l'ampoule qui venait de s'allumer au-dessus de ma tête : ne fallait-il pas tout simplement que je m'occupe de monter le fan-club français de Korn ? Bien sûr que si. Je venais à n'en pas douter d'avoir l'idée du siècle : enfin une façon de mettre un « pied dans la musique » en m'épargnant de devoir apprendre à jouer d'un instrument !

Grâce à la lecture du magazine *Rock Sound*, j'appris le nom du responsable du groupe à la maison de disques française Epic, et sus que c'était cette personne qu'il fallait que j'appelle pour faire avancer mon projet.

Enfin j'avais trouvé une raison valable d'appeler un label et d'engager une conversation avec quelqu'un. Je parvins à obtenir son numéro, mais comme je n'avais pas de téléphone (c'était en 1996), je dus aller dans une cabine à côté de mon logement chez la vieille dame et appeler pour la première fois Laurent Cléry, lequel trouva que c'était une très bonne idée de monter un fan-club (pour lui c'était une sorte de promo gratuite) et me demanda en quoi il pouvait m'être utile. J'avoue que je n'avais pas vraiment anticipé la question. Alors si déjà il pouvait m'envoyer des infos, voire des posters et des autocollants, c'était Noël avant Noël. Dans un premier temps, il me conseilla d'aller sur Internet pour obtenir toutes les informations que je désirais obtenir sur le groupe. Je le remerciai, et lui promis de lui adresser le premier exemplaire du « magazine » que j'avais déjà dans l'idée d'éditer : il y avait des boutiques de photocopies vraiment pas chères juste en face de la fac de Tours, et si ce n'était pas pour éditer mon propre magazine, je ne voyais pas en quoi elles allaient pouvoir m'être utiles.

Première fois sur Internet

Il ne me restait plus qu'à aller sur Internet pour « trouver des infos ». Hélas, nous étions en 1996. Je

117

savais qu'Internet existait, c'est un mot qu'on commençait à entendre souvent, mais je n'avais pas d'ordinateur, le seul que j'utilisais était l'ordinateur Apple
première génération qu'il y avait dans le bureau de mon
père et qu'une amie comptable lui avait donné, mais je
ne savais utiliser que le traitement de texte. Alors aller
sur Internet, d'un seul coup, c'était beaucoup me
demander. Un jour, alors que je passais près de la
cathédrale de Tours, j'aperçus un café que je ne
connaissais pas sur la devanture duquel était inscrit
« Café-Internet ». Me doutant que le mot « Internet »
n'avait aucun rapport avec le goût du café, je regardais
à l'intérieur et vis qu'il y avait plusieurs ordinateurs
dans le fond (genre Nasa) et que pour la somme de
25 francs on pouvait « surfer sur Internet » pendant
une heure. « Bonjour, ce serait pour surfer sur Internet », tentai-je donc au monsieur qui avait plus une
tête d'informaticien que de barman. Il me demanda ce
que je voulais boire, et comme je ne voyais pas ce qu'on
pouvait commander d'autre dans un café Internet que
du café, il m'apporta un allongé alors que je m'asseyais
devant une des machines. « Vous êtes déjà allé sur
Internet ? » me demanda-t-il. Je lui répondis que non,
je ne savais absolument pas comment ça fonctionnait.
Je ne sais plus comment ni pourquoi, mais il m'expliqua que grâce au système de webcam, on pouvait suivre
en direct ce qui se passait ailleurs. Moi à la base je
venais juste pour récupérer des informations sur Korn,
mais le premier site sur lequel m'emmena le gars pour

me montrer comment ça marchait fut celui de l'aquarium de Touraine. « C'est sympa, tu peux aller regarder les poissons en direct. » C'est une époque où on parlait beaucoup des autoroutes de l'information, mais j'étais déçu que pour ma première visite sur Internet qui permettait d'obtenir des informations du monde entier, le gars m'emmène sur la page Internet d'un site touristique situé à cinq kilomètres de Tours. Il m'aurait montré l'aquarium de Honolulu, à la rigueur j'aurais compris. Comme je ne voulais pas le contrarier, je laissai faire en prétendant être effectivement impressionné par la couleur des poissons. Mais je voulais obtenir des informations sur Korn. Il fallait donc que je tape l'adresse d'un moteur de recherche dans la barre d'adresse du navigateur. Je ne comprenais pas un traître mot de ce dont il me parlait et je commençais à croire qu'avec ses histoires de poissons et de navigation, Internet était le lieu de rendez-vous des amoureux de la mer et du grand large. Je tapai enfin www.korn.com et j'arrivai sur le site Internet du groupe, je cliquai avec la flèche là où il y avait écrit « *biography* ». Il fallut cinq bonnes minutes pour que la page se charge correctement et dix autres pour qu'elle soit imprimée. Comme c'était écrit en rouge sur fond noir, l'impression avait utilisé beaucoup d'encre. Et le gars me l'avait imprimée en couleur. C'était 10 francs l'impression couleur par page. Je sortis donc du café Internet au bout d'une heure avec un unique paragraphe biographique imprimé sur deux feuilles. Alors ça m'avait coûté 45 francs mais surtout ça m'avait aidé à me forger une première opinion sur Internet : c'était bien mais c'était cher.

Divine et les Korniauds

Le week-end chez mes parents, je m'attelai donc à la rédaction d'un premier numéro en brodant autour de la biographie du groupe. Après avoir photocopié les deux feuilles A4 pliées en deux qui composaient le fanzine au Copytop de la fac, j'agrafais les deux feuilles sur le côté et non pas sur la rainure car la taille de mon agrafeuse ne me permettait pas d'atteindre le pli des deux feuilles. Je ne sais pas si vous arrivez à vous figurer ce que je vous décris mais soyez sûrs d'une chose : c'était moche. J'envoyais des annonces aux magazines de rock pour annoncer la création de *Divine*, le nom que j'avais choisi pour le fanzine, d'après une chanson du premier album de Korn. Comme je ne pouvais pas proposer d'abonnements gratuits, je m'étais dit que 15 francs était une somme correcte à demander en échange d'un abonnement pour quatre feuilles de chou dans l'année (même si je n'avais encore aucune idée de la façon dont j'allais remplir les trois prochaines). J'avais mis l'adresse de mes parents comme « adresse officielle du fan-club » et très vite, je reçus des dizaines de lettres de fans accompagnées de chèques d'un montant de 15 francs que j'encaissai directement sur mon compte (je me doutais bien que la création d'une association loi 1901 embrouillerait mon esprit et me démotiverait à cause des papiers administratifs). C'est un moment de ma vie où j'étais assez souvent à découvert, alors ces petits chèques de 15 francs que je déposais à intervalles réguliers permettaient de montrer à ma banquière que j'y mettais du mien pour sortir la tête de l'eau. Un jour où je culminais à 3 000 francs de découvert, je dus passer à mon agence pour y déposer le seul chèque de 15 francs que j'avais reçu de la semaine, la banquière tamponna le bon de dépôt du chèque avec des yeux presque dédaigneux, alors qu'elle n'était quand même pas la plus mal placée pour savoir qu'un sou est un sou. Ce n'était pas 13 francs que je déposais, ce n'était pas 14 francs, c'était 15 francs ! Disons-le tout net : dans le landerneau des magazines de rock et de metal, la création de ce fan-club jeta une lumière nouvelle et parfaitement inattendue sur Beaumont-en-Véron, village dont on parle trop peu dans les magazines. De partout en France, on se mit à appeler chez mes parents pour obtenir des informations sur le fan-club, car maintenant que j'y repense, il n'est pas impossible que j'avais aussi fait apparaître leur numéro de téléphone dans l'annonce « pour ceux qui voulaient obtenir des renseignements sur le fan-club ». Je ne sais pas si vous avez déjà tenu une conversation avec mon père, mais si c'est le cas, vous savez sûrement qu'il n'est pas trop dans le côté metal des choses. Pour lui, ma musique était du « crincrin » (c'est le mot qu'il utilisait), je pense qu'il savait que Korn était un groupe mais je n'en suis même pas complètement sûr. Il savait que je m'intéressais à quelque chose qui s'appelait Korn et qui faisait du bruit mais je pense que ça ne l'intéressait pas de savoir si c'était un groupe de musique, un dessin animé ou un outil. J'ignore où les fans croyaient appeler quand ils composaient le numéro de téléphone de chez mes parents. Certainement croyaient-ils joindre une sorte de bureau entièrement dédié au groupe avec abondance de fax et d'infos spéciales sur le groupe, une rédaction sur le qui-vive entièrement composée de journalistes spécial Korn. Mais quand le téléphone décrochait, c'est mon père qui disait « Allô ? », « Allô ? » dans lequel rien ne pouvait évoquer l'effervescence ou l'énergie du metal. Quand les fans appelaient et commençaient à bafouiller qu'ils appelaient pour avoir des informations sur Korn, mon père posait le combiné et m'appelait fort dans la maison : « Jojoooo !... » car tel est le surnom qu'il nous donnait à mes frères et moi. « ... un Korniaud ! » car pour lui les fans de Korn étaient des Korniauds.

Le fameux sketch de l'éternuement

Très vite mes contacts chez Epic/Sony (le label en charge de promouvoir et distribuer la musique de Korn) me permirent de me faire bien voir des attachées de presse, et à l'occasion de la venue du groupe en février 1997 en Europe, j'eus un accès privilégié au groupe qu'on m'invita à rencontrer.

En réalité les mecs de Korn avaient cinq ou six ans de plus que moi mais eux venaient de Californie et moi du Véron, et s'ils eurent la gentillesse de se montrer flattés qu'un adolescent français prenne le temps dans sa vie d'agrafer des textes photocopiés en noir et blanc les concernant, nous ne devînmes pas amis pour autant. Le bassiste, Fieldy, bien que le plus âgé du groupe, ne me semblait pas particulièrement fin, même si le fan que j'étais refusait encore de se l'avouer. Le 2 juin 1997, Korn commença une deuxième série de concerts en France à Rouen et j'arrivai suffisamment tôt l'après-midi pour espérer les recroiser devant la salle avant le concert, et pouvoir enfin faire copain avec eux. Le manager du groupe donna un billet de 100 francs à Brian Welch et David Silveria (lesquels restèrent stupéfaits qu'on puisse y voir le sein de Marianne, ce qui leur semblait absolument impossible aux États-Unis), et me chargea d'accompagner les deux pour manger quelque chose. Je quittai donc le parking de l'Exo 7 (où le chauffeur du groupe avait garé leur bus) accompagné du guitariste et du batteur en quête d'un endroit où leur acheter des burgers. Pendant quelques secondes, j'espérai que ce soit l'occasion d'une grande et belle balade dans les rues de Rouen, malheureusement, il y avait un Quick juste en face de la salle et nous n'eûmes pas à aller bien loin. Je ne savais pas comment dire « cornichons » en anglais donc à la caisse du Quick j'eus de grandes difficultés à expliquer aux deux musiciens ce qui faisait la différence de goût entre un hamburger et un cheeseburger. On prit tous les trois nos plateaux et on s'installa sur une table du Quick. J'étais en face des deux musiciens qui parlaient entre eux mais clairement beaucoup trop vite pour que j'arrive à comprendre quoi que ce soit. J'étais si peu impliqué dans leur conversation que c'est comme si je m'étais installé à la table de deux inconnus, ce qu'ils n'étaient clairement pas pour moi, mais ce que j'étais tout à fait pour eux. Au bout d'un moment je me rendis compte que ça faisait bien un quart d'heure que je mangeais en face de deux gars qui parlaient entre eux et ça commençait à me faire souffrir l'ego de n'être pas du tout impliqué dans la conversation, même si je dois bien reconnaître que je n'avais rien de spécial à leur dire. J'eus alors (je le pensais) une idée de génie. Premièrement, j'avais déjà remarqué dans la vie que c'est facile de devenir copain avec les gens quand on les fait rigoler (attention à partir de là ça va vite). Deuxièmement, j'ai un bon contact avec les enfants (j'avais même fait un peu de baby-sitting). Troisième-ment, j'avais remarqué que s'il y a bien quelque chose qui faisait éclater de rire les enfants, c'est la façon que j'avais d'imiter quelqu'un qui éternue. J'ai une façon d'imiter l'éternuement particulièrement drôle, je vous le dis, franchement c'est irrésistible, alors ni une ni deux, à ce moment précis, alors que les deux Korn étaient en train de manger en face de moi et de parler entre eux, je me dis intérieurement « mes gaillards, tenez-vous prêts parce que maintenant on va rigoler ».

124

Et alors que je tenais mon burger dans les mains, je leur fis cadeau de ce petit moment de rire : le plus bel « atchoum » sonore et visuel que j'avais jamais fait. Normalement, quand ils me voyaient faire ça, les enfants que je gardais en baby-sitting éclataient de rire. J'avais même déjà réussi à faire rire des potes avec ce faux éternuement, mais là je ne sais pas ce qui se passa, les deux gars de Korn ne comprirent pas du tout que c'était une blague. Aussitôt après mon « atchoum » j'espérais sûrement qu'ils voudraient tout de suite devenir mes potes tellement j'imitais bien le gars qui éternue. Mais les deux s'arrêtèrent immédiatement de mâcher et bouche bée, me regardèrent. « *You're OK ?* » Le guitariste me demandait si tout allait bien. Je répondis que *yes, it was good, tout allait bien, sorry.* Quel dommage pensai-je, qu'ils n'aient juste pas compris que c'était une blague ! Ils durent se dire que le gars qui s'occupait de leur fan-club en France était un gars bruyamment enrhumé.

À ce moment précis, nous vîmes eux et moi s'approcher deux adolescents fébriles, qui nous avaient aperçus entrer dans le Quick et qui avaient failli défaillir en reconnaissant les deux membres de Korn (ils ne m'avaient pas reconnu moi). L'agenda scolaire ouvert et un stylo tendu, ils s'approchèrent du guitariste et du batteur en leur demandant timidement un autographe, et les deux musiciens s'exécutèrent avec enthousiasme. Mais une fois que les deux musiciens eurent signé, les deux ados durent avoir de la peine pour moi car l'un des deux me tendit également l'agenda en me demandant « vous voulez signer ? ». Ma première réaction fut de regarder les deux musiciens qui avaient compris que le jeune garçon m'invitait à signer en tendant l'agenda et le stylo. Je dois avouer qu'il y eut deux secondes pendant lesquelles j'hésitai. C'était la première fois qu'on me demandait un autographe. En tant que fan, il est possible que j'aurais aussi demandé de signer au gars qui accompagnait mon chanteur préféré. « Vous êtes son cousin ? Signez aussi ! » Mais là les deux musiciens de Korn me regardaient hésiter à signer l'agenda, en se demandant si j'allais aussi signer sachant que je n'étais pas dans le groupe. Et c'est vrai : je n'étais pas dans le groupe. Est-ce que ce temps pendant lequel j'hésitai à signer dura une seconde, dix ou vingt, je ne sais plus, toujours est-il que je finis par décliner, un peu déçu en marmonnant quelque chose comme « bah non quand même pas ».

Rencontre avec Chacha à Radio Béton

À Tours il y a une radio rock alternative et indépendante appelée Radio Béton dont j'entendais beaucoup parler quand j'étais à Chinon, mais que je ne pouvais pas capter car mes parents habitent dans une cuvette à Beaumont-en-Véron. Dans ma chambre chez Madame

Gouineau à Tours, je passai beaucoup de temps à écouter Radio Béton qui organisait régulièrement des concours pour gagner des CD, des tee-shirts et des places de concert. Il n'y avait pas énormément d'auditeurs, alors c'était beaucoup plus facile de les joindre que RTL : à chaque fois que j'appelais, je gagnais. Il suffisait de prendre le bus 2 pour aller récupérer son lot dans les locaux de la radio, et c'est comme ça que j'ai commencé à beaucoup mettre les pieds à Radio Béton.

C'était un tout petit studio, dans lequel traînaient toujours un ou deux animateurs, objecteurs de conscience, ou rmistes qui avaient une tranche horaire à animer. Cet environnement m'inspirait au plus haut point, ils étaient toujours en train d'ouvrir des colis de disques, de lire des magazines de musique ou de parler des albums qui faisaient l'actualité. C'est la seule fois de ma vie où j'ai autant rêvé d'être à la place de gens qui étaient au RMI. Radio Béton était vraiment une radio de gauche, qui organisait de nombreux concerts de groupes de punk dont je n'avais jamais entendu parler, mais qui semblaient cultes pour tous les gens qui y travaillaient. Un jour, alors que j'étais chez une copine, j'entendis la voix d'un animateur que je ne connaissais pas, qui avait l'air bien marrant et qui organisait un concours pour gagner cinq paires de Doc Martens. Le gars demanda qui était l'acteur principal de *Je sais rien mais je dirai tout*. Comme ma copine faisait partie des gens qui avaient le téléphone chez eux, j'appelai Radio Béton pour donner la bonne réponse

(Pierre Richard) et l'animateur (qui était aussi celui qui répondait au téléphone) m'annonça que je pouvais venir chercher mon lot qui était une paire de Doc Martens. Je pris la ligne 2 pour aller chercher les chaussures et entrant dans la radio je rencontrai Chacha pour la première fois. Il portait un tee-shirt Intermarché.

Enregistrement de mes pets (feat. Chacha)

Chacha est la première personne que j'ai rencontrée dans la vie qui a clairement modifié ma façon de percevoir la musique. On s'était tout de suite très bien entendus et il m'avait invité chez lui à écouter des disques en buvant une bière (plus certainement *des*). Je n'ai retrouvé que deux fois dans ma vie le chaos indescriptible qui régnait dans la chambre de Chacha : dans le bureau de Gaston Lagaffe et dans l'appartement de King Ju de Stupeflip. Il était impossible d'entrer dans la pièce dont la porte était bloquée par un matelas, lui-même bloqué par une guitare et du matériel de son, des papiers, des mégots, des canettes de soda et de bière. Impossible de savoir comment le matelas s'était retrouvé à bloquer la porte par-derrière, mais tels sont les mystères du chaos, et les mystères du chaos de Chacha en particulier.

Chez lui, il y avait des centaines de disques mais aucun n'était vraiment dans sa pochette, les vinyles étaient entassés les uns sur les autres, certaines pochettes étaient déchirées. C'était pareil pour les CD, dont les boîtiers souvent cassés traînaient sous les meubles ou par terre dans sa voiture avec des emballages de cheeseburgers. Tous étaient empilés sans les boîtes, se rayant les uns les autres.

Souvent en parlant Chacha s'enflammait pour un titre, commençait à s'agiter, prenait une pile de 50 CD sans boîte dans la main qu'il passait en revue comme un jeu de cartes et quand il trouvait enfin (ou finalement pas) le CD, il râlait qu'il soit rayé en le mettant dans le lecteur. Je ressentais de l'admiration pour son non-attachement à l'objet. C'est la première fois que je rencontrais quelqu'un qui se foutait complètement de ses CD. Je me suis rendu compte qu'on pouvait aimer la musique pour la musique, et surtout ça me signifiait bien que j'aimais trop la musique pour les objets et je trouvais ça un peu déprimant.

Du coup sous son influence je me mis aussi à ne pas m'embêter à ranger les disques dans leurs pochettes, mais au-delà de quatre disques pas rangés dans les pochettes, je commençais à avoir des suées. Chacha était autant fan de Bob Azzam (dont il me fit découvrir « Mange des tomates mon amour ») et de Minor Threat que de musiques nulles. Grosso modo, il aimait la pop, manger de la junk food et les musiques nulles qui le faisaient rire. Il me fit découvrir l'unique album du groupe français Anus qui n'utilise que des synthétiseurs Moog et qui joue déguisé en légionnaires romains sur scène, si vous voulez avoir une idée de ce qu'est un

groupe qui aime les contraintes. Il achetait systématiquement tous les exemplaires de « Pass The Dutchie »
de Musical Youth (« un 45 tours de reggae qui s'est
pourtant vendu à des millions d'exemplaires ») qu'il
voyait passer pour les offrir (après tout il y a bien eu
un « pop-up store » ces dernières années en Angleterre
qui ne vendait que des exemplaires en vinyle de l'album
blanc des Beatles). Il me fit observer qu'à 3'21" de
« Spaced Cowboy » de Sly and The Family Stone, on
entendait un tout petit bruit qu'on n'entend à aucun
autre moment du morceau, et me raconta qu'il se
demandait depuis longtemps comment ce bruit était
arrivé là, si c'était le bruit d'un briquet qui tombe dans
le studio ou d'une porte qui claque au loin. Dans
« Neighborhood » des Suisses Sportsguitar, il remarqua
la présence d'un flûtiste loin derrière qui joue très faux
pendant le morceau. Et alors qu'il me faisait découvrir
ça, ça devenait une sorte de moment, composé à la fois
du morceau, de Chacha qui m'en parlait, de l'humeur
avec laquelle il m'en parlait, et du regard qu'il y posait.
Je ne découvris alors pas seulement de la musique mais
une façon nouvelle de s'enthousiasmer pour la
musique. Régulièrement, il faisait de grandes descentes
dans les Emmaüs ou à la grande Foir'Fouille de Tours-
Nord pour acheter des lots de disques que j'aurais
considérés jusque-là comme sans intérêt. Il n'y avait
rien qu'il aimait plus que d'acheter n'importe quoi et
d'écouter les faces B jusqu'au bout. Il trouvait toujours
une connerie à raconter sur le disque, la pochette ou
un mot dans la chanson. Chacha n'achetait pas des

disques pour la même raison que moi (parce que j'aime la musique) mais aussi pour plein d'autres raisons : parce qu'un morceau était mal enregistré, parce que le titre était bidon, parce que la pochette le faisait rire. Encore aujourd'hui quand il vient chez moi il apporte toujours des 45 tours en cadeau qu'il a achetés sur les brocantes, et offerts par Chacha ces disques prennent toujours une autre signification, il me les offre à chaque fois avec l'anecdote qui va bien, la connerie pour me faire rire et qui va faire que je vais être content de garder ce disque dans ma collection. Un jour, Chacha me dit que s'il y a tant de musique médiocre, c'est que les journalistes et les directeurs artistiques ne sont pas assez sincères et pas assez directs. Quand ils écoutent une démo et que l'artiste les rappelle pour avoir leur avis, ils devraient plus souvent avoir le courage de dire « Franchement arrête de faire de la musique s'il te plaît, ce sera mieux pour tout le monde ».

La première fois que je lui fis écouter mes morceaux préférés de Korn il me dit « Je trouve ça super quand tu me fais écouter mais c'est sûr que j'écouterai jamais ça chez moi », et ça sonnait tellement sincère que je n'ai pas su quoi répondre, en tout cas, ça sonnait déjà comme une sorte de déclaration d'amitié. Je crois que ça le faisait rire que je m'occupe du fan-club de Korn, mais pas d'un rire moqueur. Chacha était fan de Weezer, dont je ne connaissais que le nom, je l'avais lu dans le magazine *Rock Sound*. Et lui aussi avait créé un fanzine qui s'appelait *WEEZ*. Je me sentis tout de suite un peu moins con d'avoir créé un fanzine dédié à Korn. La seule différence est qu'à part une ou deux références au groupe dans son fanzine, les pages étaient juste remplies de dessins et de blagues mais comme c'était un peu une parodie de magazine de fan, j'eus l'impression qu'il faisait de l'art contemporain. La première fois que Chacha me fit écouter « The Good Life » de Weezer, il se mit à danser partout, et à 1'33" du morceau, on est bien d'accord qu'il se passe un truc de ouf à la batterie, un truc hyper simple mais placé bien au bon moment et voilà que Chacha me mimait tout ça parfaitement. J'étais en train de découvrir Weezer, et à ce moment-là, je sais pas si c'est exactement comme ça que je me le formulai sur le coup, mais je me dis un truc comme « bon je suis en train de devenir fan de Weezer aussi ». La seule différence entre Chacha et moi c'est qu'il avait l'édition limitée du 45 tours de « Undone – The Sweater Song » du premier album de Weezer et que, là où je l'aurais précieusement rangée dans ma collection, lui avait punaisé la pochette au mur de sa chambre et égaré le disque, qui devait traîner quelque part sous son lit dans la poussière. Le rapport de Chacha avec la musique était extrêmement détendu, il ne mettait pas de barrières entre ceux qui font la musique et ceux qui l'écoutent, il s'autorisait à trouver les musiciens ridicules (ce qu'ils sont plus souvent qu'on ne croit) et dès que je lui fis écouter du metal, je voyais bien qu'il y mettait du sien, mais qu'il était presque embarrassé pour les musiciens et le chanteur de les entendre déployer autant d'énergie.

Alors il faut bien avouer qu'au bout d'un moment, à force de fréquenter Chacha, j'avais l'impression que ça me ressemblait de moins en moins d'écouter de la musique trop testostéronée. Je ne voyais plus trop les circonstances dans lesquelles j'aurais besoin d'écouter du metal pour me passer les nerfs. À quoi pouvais-je bien ressembler quand mes parents me voyaient remuer seul dans ma chambre les enceintes à fond sur Korn encore six mois auparavant ? Je commençais un peu à regarder le hard rock comme le ferait un anthropologue, en me disant « Pourquoi font-ils ça ? Et pourquoi ont-ils ce besoin de le crier si fort ? » Et c'est vrai qu'on commençait à devenir potes. Un matin après n'avoir pas dormi et être restés une nuit entière chez lui à fumer, écouter de la musique et à manger n'importe quoi, il avait pris son enregistreur et on avait commencé à enregistrer nos pets (on s'était dit que c'était ce qu'il fallait faire à ce moment-là, j'imagine). Il prenait l'antenne de Radio Béton à 7 heures du matin, je l'avais accompagné et il avait pris l'antenne en diffusant un montage de tous nos pets mis bout à bout, une anecdote tristement révélatrice de notre humour commun, mais aussi de la liberté de ton qui avait cours à Radio Béton. Une radio qui ne diffusait pas que des pets puisque c'est aussi sur cette radio que Harry Roselmack (*name dropping !*) fit ses débuts en animant l'émission dominicale *Fréquence Caraïbes*, après laquelle Chacha, moi et notre autre pote Benjamin avons animé pendant deux ans une émission que Chacha avait intitulé *V.M.A.* (pour *Variété mon*

amour). Elle est aujourd'hui culte mais pour cinq personnes à Tours, et nous la présentions ensemble sous les
noms de Chris, Dany, et Stephen. Il m'avait aussi présenté aux gens de Radio Béton pour que j'aie un poste
de bénévole dans le cadre du festival Aucard de Tours
qui a lieu tous les printemps. « Bénévole », ce n'était pas
rien. Si un membre du personnel de sécurité venait à
me demander si j'étais autorisé à traîner là, je n'avais
qu'à lui brandir mon badge de bénévole. Le badge donnait lui-même accès aux loges et à leurs canapés, aux
bières, et surtout au droit d'être derrière la scène et pas
comme tous ces simples amateurs de musique dont je
faisais partie encore la semaine précédente. Il était
important que j'aide Chacha de façon bénévole à traîner
dans les loges du festival en buvant des bières.

Chacha était aussi musicien et moi je ne l'étais pas
(les pets ne comptant pas). Il avait déjà commencé à
enregistrer quelques morceaux sous le nom Boogers,
car il trouvait que le mot sonnait bien, et il n'a su
vraiment que beaucoup plus tard que ça voulait dire
« crottes de nez » ; dans mon souvenir ça a continué de
ne pas le déranger. En fait Chacha le disait lui-même :
il n'était pas un si bon musicien. Par contre, quand il
prenait une guitare pour chanter une chanson même
avec deux accords, il y mettait tellement de passion que
je peux dire que c'est grâce à lui que j'ai commencé à
reléguer la virtuosité très loin dans les raisons qui font
que je peux me passionner pour un artiste. Il écoutait

beaucoup de lo-fi. « Lo-fi » (de low-fidelity) en opposition à « hi-fi » (high-fidelity), donc c'est de la musique dont on entend bien souvent qu'elle est faite de bric et de broc et avec peu de moyens. En même temps je viens de vous raconter que Chacha enregistrait ses pets donc je ne sais pas si j'ai fait les choses dans le bon ordre pour parler de sa passion pour la musique.

L'enveloppe de mon premier cachet

Même si je n'avais pas passé beaucoup de temps à la fac jusque-là, j'ai commencé à en passer de moins en moins, en n'y allant plus du tout. Un théâtre de Tours m'avait permis de gagner mes premiers salaires (les fameux cachets d'intermittent du spectacle) en intégrant une troupe de théâtre d'improvisation, et en donnant quelques « cours » à des amateurs. Les premières fois que j'entendis d'ailleurs le mot « cachet », j'eus du mal à me figurer qu'il ne représente seulement qu'un salaire. Je ne sais pas pourquoi mais j'avais l'impression qu'en plus du salaire, si je faisais un « cachet », on allait aussi me donner quelque chose en plus, un objet, une sorte de bourse remplie, juste parce que je trouvais que le mot « cachet » représentait quelque chose de physique. Il y avait énormément de public pour les matchs d'improvisation en Touraine à cette époque, et grâce à

135

des copains du conservatoire de théâtre, j'avais pu intégrer l'équipe d'improvisation de Tours. Jean-Louis, le
directeur du théâtre, semblait trouver que j'avais le
niveau requis, et vers 1998 me sélectionna pour un
premier match, face à l'équipe du Québec. Quand
Jean-Louis me dit que je serais payé 500 francs pour la
performance, je dus faire de grands efforts pour rester
stoïque et lui faire croire que « ça m'allait », alors
qu'être payé autant pour faire des blagues, des voix
marrantes et des personnages me semblait tout bonnement hallucinant. C'était ni plus ni moins que cinquante sandwichs briochés au surimi, l'équivalent de
cinquante déjeuners gratis, faire de tels calculs me donnait l'impression d'avoir des préoccupations qui étaient
celles de la vie active. Le soir du spectacle, nous
jouâmes nos performances d'improvisation face aux
comédiens québécois devant pas loin de 1 000 personnes qui remplissaient à chaque fois la salle de la
Pléiade à La Riche, et après le show, Jean-Louis
annonça à tous les comédiens que nous étions attendus
au restaurant, alors nous nous mîmes tous en route
pour aller souper. On était une vingtaine dans la pizzeria de La Riche, Jean-Louis avait réservé pour tout le
monde. En plus d'être responsable du théâtre de La
Riche, Jean-Louis était également responsable du service culturel de la ville. Le tutoyer me donnait l'impression de peser. Avant qu'on s'installe tous à nos tables,
et alors qu'on était encore en train de boire la première
bière d'après-spectacle avec nos camarades québécois,
Jean-Louis m'appela dans un coin de la salle et me

donna discrètement une enveloppe en me disant « C'est pour ce soir ». Je compris qu'il s'agissait des 500 francs de mon salaire et que, comme j'étais encore « étudiant », il préférait me payer en liquide pour s'épargner les charges patronales. Il retourna s'asseoir et me laissa seul avec mon enveloppe dont j'étais évidemment sûr qu'elle contenait ma rétribution pour la soirée, mais pas sûr et certain non plus. Histoire d'en avoir le cœur net, je me précipitai doucement aux toilettes et m'enfermai dans une cabine. Je restai debout et en une fraction de seconde, déchiquetai littéralement l'enveloppe pour recompter les billets de 100 francs. Il y en avait bien cinq ! Ils étaient tous pour moi ! Je n'étais plus le même jeune homme que le matin même, j'avais 500 francs de plus ! J'allais en outre manger une pizza… gratuitement. Je ressortis des toilettes, essayant de faire comme si tout était normal, alors que dans ma tête je me disais « voilà donc ce que ça fait d'être nouveau riche ». Malheureusement Jean-Louis me fit signe à nouveau de venir le voir. « En fait, commença-t-il à m'expliquer, les Québécois repartent demain matin, et je n'ai pas retiré assez pour tous les payer. Est-ce que ça te dérange de me redonner ton enveloppe pour que je la leur donne, et que je te paye ce que je te dois demain après-midi ? » Il s'était écoulé moins de deux minutes depuis qu'il m'avait donné l'enveloppe. Je lui répondis qu'il n'y avait aucun problème, même si en lui disant cela je n'étais plus qu'à deux ou trois secondes du moment où il allait découvrir l'état dans lequel j'avais mis son enveloppe. Trois minutes plus tôt, l'enveloppe était flambant neuve comme si elle avait juste été sortie du paquet « 50 enveloppes La Poste », et je la lui rendais comme si entre-temps je m'étais fait attaquer par une meute de loups. Je ne sais s'il existe un animal réputé pour manger les enveloppes mais c'est clairement l'animal qu'on aurait pu croire que je venais de croiser en allant aux toilettes. Les cinq billets de 100 francs étaient intacts mais n'étaient plus entourés que par des lambeaux d'enveloppe. En voyant l'état de l'enveloppe, Jean-Louis parut légèrement surpris et me regarda comme pour vérifier qu'il n'y avait pas du sang qui sortait de mes yeux, car il est vrai que depuis qu'on était entrés dans le restaurant j'étais toujours resté dans un état plutôt calme et constant, à aucun moment je n'avais donné le moindre indice sur l'animalité en moi qu'on pouvait deviner juste en voyant l'état de l'enveloppe. J'ignore s'il existe un dicton ou un proverbe pour prévenir quelqu'un de ne jamais déchirer une enveloppe contenant du cash dans l'hypothèse où il devrait la restituer juste après mais si c'est le cas, on pourrait croire qu'il a été inventé pour coller à cette situation. « *Enveloppe trop décachetée, la honte va bien te coller.* »

Stop the Deug

Je commençais à recevoir des disques gratuits par le label de Korn, et ayant réussi à me procurer des numéros de téléphone d'autres attachées de presse, je réussissais à me faire envoyer d'autres disques gratuitement. J'appelais, je disais ça : « Oui bonjour c'est Thomas du fan-club de Korn, oui j'appelle parce que j'ai vu que vous sortiez le disque de Soul Coughing j'aimerais bien l'avoir... pour me rendre compte », et neuf fois sur dix, on m'envoyait le disque. Il n'y avait pourtant aucun rapport entre Korn et Soul Coughing. J'en étais venu à me demander si on peut s'en sortir dans la vie juste en quémandant des trucs au téléphone. C'est ainsi qu'un dimanche midi, au bout de trois premières années de Deug qui passèrent de laborieuses à inexistantes, deux semaines avant les examens « finaux », j'annonçai à mes parents, après avoir pris ma respiration, que j'arrêtais les études parce que je pensais faire assez de cachets avec la compagnie pour ne plus avoir besoin de simuler d'étudier l'anglais à la fac. De toute façon j'avais raté trop de cours pour pouvoir tout rattraper. Ma mère ne s'y opposa pas mais me rappela qu'ils ne m'aideraient désormais plus financièrement, ce qui me semblait être un deal assez logique. Mon père tenta toutefois de m'inciter à aller à l'examen quand même en essayant de répondre au pif, comme si tomber sur la combinaison magique des bonnes réponses pouvait me faire obtenir le Deug. Il devait penser que le Deug était une sorte de QCM. Mes parents furent moins contrariés de me voir quitter les études que je ne l'avais imaginé, mais je compris très vite que j'allais devoir les rassurer souvent quant à la possibilité que j'allais avoir de m'acheter à manger, et si j'allais vraiment travailler pour de bon.

Mais peu de temps après, alors que je regardais les annonces pour les intermittents à l'ANPE pour être sûr de boucler les 507 heures ouvrant à une période de droits, je tombai sur le numéro de téléphone d'une annonce pour les supermarchés Carrefour qui faisaient appel à des comédiens pour animer leurs rayons à l'occasion de leur anniversaire. Je crois que dans la vie il faut savoir saisir sa chance quand elle se présente à nous et, si je l'ai jamais saisie, ce fut à ce moment-là. Je passai donc le casting à Nantes dans une salle gigantesque, on me demanda de chanter le texte précis d'une chanson sur les poules et les canards, sous l'œil d'un jury dont la fonction était pour moi assez mysté-rieuse. Je ne sais quels étaient les critères de sélection pour faire leur casting (« il fait bien la poule, il fait bien le canard, on le prend »). Mais huit jours plus tard, je revins passer le week-end chez mes parents, et alors que je ne les en avais pas même tenus au courant, ma mère arborait un large sourire dans la cuisine à mon arrivée de la gare : « Tu as passé un casting pour les magasins Carrefour ? » (Je n'avais pas encore le télé-phone à ce moment-là et pour la réponse au casting j'avais donné celui de mes parents.) « Tu es pris !! »

J'étais pris pour faire la poule et le canard pendant huit jours à Carrefour !!! Je sentis que c'était une bonne nouvelle pour eux aussi, et franchement je crois que j'étais aussi content de les voir contents que je l'étais d'être pris au casting. Je lus dans les yeux de mes parents une fierté pas si éloignée de celle de parents qui apprennent que leur enfant est reçu à l'école de médecine. Je savais que le salaire prévu pour ce boulot était de 1 500 francs par jour (pendant 8 jours !) et quand je dis ça à mes parents, il y eut quelques petites secondes où on eut du mal tous les trois à contenir une espèce de jubilation. 8 × 1 500 : 12 000 balles, yes !

Dans la peau de Professeur Brocolino

L'avantage dans tout ça, c'est bien sûr que je pus passer une semaine au Carrefour d'Angers, à jouer un personnage appelé « Professeur Brocolino » car pour l'anniversaire de la marque, Carrefour avait fait appel à une super agence de communication qui avait créé des personnages en mousse, personnages dont seul le visage dépassait du costume. Heureusement, le responsable de notre groupe de comédiens (car je n'étais pas seul, il y avait aussi une espèce de Pierrot la lune et un personnage de grande marguerite) était Manu, un gars sacrément rigolo qui avait été le chanteur de Elmer

Food Beat, avec qui je me retrouvais donc régulièrement dans les « loges du Carrefour ». J'essayais évidemment de faire comme si tout était normal mais je travaillais avec un gars qui avait été numéro 1 du Top 50 dix ans plus tôt, et j'avais clairement l'impression d'avoir atteint un palier supérieur de ma vie. Je me demandais combien passer de numéro 1 du Top 50 à animateur d'un groupe de comédiens pour l'anniversaire d'un supermarché pouvait représenter comme espèce de dégringolade, mais même quand il me racontait qu'il faisait parfois le Père Noël pour faire des cachets, ou que son groupe avait un temps refusé des offres de maisons de disques à 1 million de francs en échange de la reformation de son ancien groupe, Manu ne me semblait pas du tout aigri et je ne savais pas du tout comment il faisait. Manu n'était pas déguisé, il était juste responsable de notre groupe dans un bureau que le Carrefour avait prêté pour en faire une loge. Le contrat stipulait qu'on devait rester six heures par jour dans les allées du magasin, mais au bout de deux jours, on ne faisait plus qu'une heure et demie, ce qui en vrai ne dérangeait pas trop le directeur car beaucoup de clients s'étaient plaints que nous leur faisions peur. Et il est vrai que si j'avais moi-même été patron de supermarché, j'aurais trouvé que nous avions dépassé les bornes. Mon costume me donnait trop chaud et je n'aime pas avoir chaud. Du coup au lieu de juste laisser dépasser mon visage, j'avais carrément sorti toute ma tête et on découvrait que sous son gros costume vert en plastique (exactement de la matière dont sont faits les tapis de sol de camping), le Professeur Brocolino avait une touffe hirsute mouillée par la transpiration. Le peu de temps que nous nous décidions à travailler, nous allions faire peur aux vieilles dames au rayon sous-vêtements avec Manu, mais vraiment pour rigoler, rien de salace je vous prie de me croire. Je trouvais admirable de pouvoir gagner 12 000 francs en une semaine à la sueur de mon front et de mon costume.

Comment les portes du show-biz s'ouvrirent à moi

J'avais 21 ans en juin 1998 quand sortit le troisième album de Korn et pour en préparer la parution, Laurent Cléry me proposa de venir faire un stage chez Sony uniquement autour de Korn, afin que je puisse confectionner mon fanzine depuis les bureaux du label. Il serait alors envoyé à tous leurs fichiers clients pour valoriser l'image du groupe et montrer qu'il avait beaucoup de fans en France. Je passai donc le mois de juin 1998 à faire des allers et retours entre Tours et Paris (à mes frais car je n'osais pas en demander le remboursement ni à Jean-Louis au théâtre ni à Laurent chez Sony), en journée à Paris pour réaliser le fanzine, et le soir à Tours pour travailler avec la compagnie de théâtre sur une mise en scène du *Chapeau de paille d'Italie* de Labiche, dont la tournée était prévue sur les mois de juillet/août en Touraine. Un stage à Paris et une tournée de théâtre en Touraine, je passais claire- ment dans une autre catégorie. Jean-Louis le metteur en scène finit par me convaincre d'acheter un télé- phone portable et j'optai d'abord pour l'option Bouygues limitée à 2 heures d'appel dans le mois. Je devenais joignable. Je passai donc le mois de juin chez Sony qui célébrait tous les jours l'arrivée de la Coupe du monde de foot en France comme si on leur en avait confié l'organisation. À chaque match, tous les bureaux s'arrêtaient de travailler pour regarder la rencontre en buvant des coups. Un midi, à la cantine de la maison de disques, sous le prétexte que Columbia sortait une compilation de musique brésilienne *Trip Do Brasil* concomitamment avec la Coupe du monde, une dizaine de danseuses brésiliennes étaient venues danser sur les tables. J'avais du mal à concevoir que des gens puissent être payés à faire ce qu'ils faisaient. Un jour, je reçus un appel de Laurent Cléry qui me demanda si j'étais capable d'écrire un article sur les tatouages de Korn pour *Tatouage Magazine* car le rédacteur en chef cherchait quelqu'un qui connaissait le groupe. Je dis immédiatement oui en commençant à me demander à quoi était censé ressembler un article uniquement sur des tatouages. Allais-je devoir en décrire les contours et les couleurs ? Je ne suis pas tatoué et s'il y a bien un truc qui ne m'a jamais trop intéressé, c'est le tatouage. Quand quelqu'un me montre son nouveau tatouage, je n'arrive jamais à savoir combien de temps la personne attend que je le regarde, étant donné que dès lors

qu'elle commence à m'en parler, une fois que j'ai dit
« c'est beau » je n'ai plus rien à dire. Toutefois, en
regardant des photos du groupe et avec trois bouts
d'anecdotes que je connaissais, je parvins assez facilement à tomber trois feuillets sur la question. Emballé
que je puisse rédiger des articles sur commande à
propos des groupes qu'il avait la responsabilité de
vendre en France, Laurent Cléry finit par me présenter
Yves Bongarçon. Je savais très bien qu'Yves était le
rédacteur en chef du magazine *Rock Sound*, magazine
que je lisais avidement à l'époque, puisque c'était le
magazine qui parlait le plus des groupes que j'aimais
alors (avec également un autre magazine appelé *Rage*
et à l'inverse de *Rock & Folk* qui continuait de suivre
l'actualité des groupes des années 1970 et 80). *Rock
Sound* parlait déjà beaucoup de Korn dans ses pages, il
leur avait consacré une ou deux couvertures, et voulant
certainement s'assurer que le groupe dont il s'occupait
continue de bénéficier d'un aussi bon traitement dans
les pages du magazine, Laurent me présenta comme le
« responsable du fan-club français de Korn » en
l'encourageant à me faire écrire. Yves et moi échan-
geâmes nos numéros et très vite il me dit vouloir caler
un déjeuner avec moi pour parler de travail : une
enclume de 500 kg de joie et de conscience de moi-
même me tomba sur la tête. Revenu à Tours, dix jours
plus tard, en dépit de mes tentatives de le joindre, je
n'avais toujours pas réussi à reparler à Yves, qui un
samedi vers 13 heures fit sonner mon téléphone et ce
fut comme si j'étais appelé par le ministre des Affaires

étrangères. « Oui Thomas ! C'est Yves Bongarçon ! » Je le sentais d'humeur particulièrement joviale. « Désolé de ne pas t'avoir rappelé avant, j'étais à New York je suis rentré hier, sans compter que depuis ce matin, je suis en galère avec ma machine à laver qui ne veut pas tourner. » Étais-je en train de rêver ou le rédacteur en chef du magazine que je lisais tous les mois me faisait entrer dans l'intimité de sa buanderie ? Au téléphone, c'était dur de lui faire un éternuement rigolo pour le remercier, il n'aurait pas pu en saisir toute la subtilité, c'est de l'humour visuel. Mais à ce moment-là je me rappelai la ligne de dialogue d'une publicité pour les machines à laver et, traversé par cette fulgurance, je répondis à Yves « Elle est pleine de calcaire votre machine, monsieur Bongarçon ! », et Yves éclata de rire. Ne nous mentons pas, j'avais assez bien réussi à placer ma blague. Et debout face à la mairie de Tours place Jean-Jaurès, alors que je venais de faire rire le rédacteur en chef de *Rock Sound*, il m'apparut que je commençais pour de bon à avoir sacrément un pied dans le show-business.

Oasis

Un jour, j'étais dans les loges de l'Olympia avec mon copain Laurent Cléry qui m'avait emmené au concert d'Oasis. Le concert était très bon (chacun sait que

« Oasis, Oasis c'est bon c'est bon »), et comme il travaillait dans le label où ils étaient, il m'invita à la soirée privée après le concert.

On était donc en plein dans la soirée privée d'après-concert d'Oasis dans un hôtel, y avait plein de monde que je ne connaissais pas, et avec Laurent on était en train de parler avec Yann de la maison de disques et d'autres gens que je ne connaissais pas non plus. Faut dire que dans ces soirées quand on chope quelqu'un qu'on connaît on le prend et on ne le lâche plus : des fois c'est la roulette russe, tu sais pas sur qui tu vas tomber et bim tu te retrouves à parler trois quarts d'heure avec un gars que tu croises souvent mais avec qui vous ne prenez même jamais la peine de dire autre chose que bonjour· et un soir bim vous êtes tous les deux la bouée de sauvetage l'un de l'autre. C'est comme si tu avais la télé avec toutes les chaînes et que juste un soir ta télécommande ne marchait que pour une seule chaîne, alors tu choisis celle-là. Alors vous faites mine que c'est chouette d'avoir du temps pour discuter, alors que du temps pour discuter, vous en avez tous les jours, il se trouve juste que ce soir-là les deux seules choses que vous ayez sont du temps et l'autre. Il devait bien être 2 heures du matin, et c'est clair qu'à ce moment-là c'était une bonne chose que j'aie pas le permis de conduire et que même si je l'avais eu, je n'aurais pas pu être Sam le capitaine de soirée. On savait que Liam Gallagher, le chanteur d'Oasis, déjà réputé pour être un branleur grande gueule, traînait encore ailleurs dans la soirée quand tout à coup il fit

147

son apparition pas loin de notre groupe en chantant fort et alors personne n'eut aucun problème à arrêter de discuter pour le regarder « chanter », ne sachant pas si c'était une performance de notre hôte de laquelle il fallait s'improviser spectateur ou s'il était tellement bourré qu'il valait mieux le laisser dans son coin comme on ferait dans n'importe quelle fête avec un mec bourré, sauf que là le mec bourré c'est le gars que tout l'Olympia applaudissait il y a deux heures, et on sentait bien le regard des gens qui savent pas s'ils doivent regarder et sourire en ayant la tête de quelqu'un qui n'a pas envie de manger sa purée ou la tête de quelqu'un qui a envie de faire caca.

Sobre, je ne pourrais habituellement comprendre que 50-60 % de ce que dit Liam Gallagher, à cause de son accent de Manchester. Avec l'alcool dans son corps et dans le mien ce soir-là je culminais à 5-10 %, d'autant qu'il « s'adressait » à six ou huit personnes, et j'en profitai pour essayer d'arborer un air « détaché-bourré », célèbre figure de soirée destinée à faire genre « tout est comme d'hab' les mecs on est avec Liam Gallagher ». À cet instant je compris que Liam Gallagher, qui était en train de chanter « Strawberrry Fields Forever » des Beatles en tapant dans ses mains, commençait à demander aux gens de l'accompagner sur le morceau avec leur bouche, il se tourna vers Laurent et lui cria « Eh toi fais la basse : doudoduodudu », puis vers un autre à qui il ordonna de faire la batterie « poum tchak poum tchak ». Dieu merci Liam Gallagher ne me prenait pas dans son nouveau groupe. Et alors que la soirée se vidait, impuissant j'assistai à un des plus tristes spectacles qu'il m'ait été donné de voir, celui de mon ami Laurent, contraint de faire « dou doud ouddd » pour accompagner le chanteur Liam Gallagher méga bourré qui venait de l'y obliger. La prestation n'en était pas une, la scène dura à peine 15 secondes mais elle me fait encore froid dans le dos quand j'y repense. L'interprétation du morceau se délita quand le manager d'Oasis vint demander quelque chose au creux de l'oreille du chanteur par-dessus son épaule, ce à quoi Liam prit le temps de répondre et pendant quelques secondes je vis Laurent qui continuait à faire « doudodudou » en se demandant s'il était obligé de continuer de le faire et très vite il finit par s'arrêter. Mais quand le manager fit demi-tour, Liam Gallagher hurla à Laurent de ne pas s'arrêter de faire « doudodudou », et Laurent recommença à faire « doudoudodud ». Mais il devait continuer de le faire alors que Liam, lui, parlait à d'autres gens, Laurent leva les yeux au ciel et me regarda, et ses yeux voulaient dire : « Ça commence à être légèrement pénible cette soirée on va peut-être pas trop tarder. » Sa bouche, je le jure, continuait de faire « doudoduodudou ». C'est drôle de voir quelqu'un qui en a marre d'être là où il est mais qui continue de faire « doudoduodu » avec sa bouche parce que quelqu'un lui a demandé de le faire (et que ce quelqu'un n'est pas un enfant de 4 ans).

Devenir journaliste en un déjeuner

Peu de temps après, on déjeuna ensemble à Richelieu-Drouot au Poivrier, un resto qui ne faisait que des salades avec des noms complètement débiles genre Sensation Distinguée ou Évasion Bariolée (les adjectifs dans les noms de plats sont toujours embarrassants). Yves avait lu les bouts de textes que j'avais écrits consacrés à Korn dans mon fanzine mal agrafé mais s'enticha malgré tout vite de moi et en y repensant, ça ne peut pas avoir été que grâce à la blague de la machine à laver. D'abord il me dit qu'il prévoyait de sortir un hors-série entièrement sur Korn, dont il voulait que j'assure la rédaction, et j'eus l'impression qu'on me remettait la Légion d'honneur. Quand Yves paya l'addition à la fin du repas, j'eus la confirmation de ce que j'avais compris pendant : j'étais l'acteur principal d'un déjeuner professionnel du rédacteur en chef de *Rock Sound*. Le hors-série sortit et quelques semaines plus tard, on remit le couvert au Poivrier, Yves m'annonça tout de go qu'il souhaitait m'embaucher à la rédaction du magazine.

Là on rentre dans la partie de ma vie où j'ai été journaliste. Il est important de comprendre avant ce que j'ai compris après : je n'étais pas spécialement attiré par le métier de journaliste. En lisant *Best*, *Rock & Folk* et *Hard Rock Magazine* j'avais juste compris que c'était un métier avec des horaires lestes, qui me permettrait de voyager, de rencontrer des artistes (je pensais encore

naïvement avoir des questions intéressantes à poser).
Mais en réalité, j'avais passé les trois quarts de ma vie
à écouter de la musique, je voulais juste que la situation
se prolonge, quitte à en faire un métier. J'étais content
de pouvoir écrire mais je n'avais pas à ce point prévu
que tout me fasse basculer dans l'univers du Travail.

Largué

Deux semaines avant d'arriver à *Rock Sound* et de
déménager à Paris, je me fis plaquer par Marie, une
fille avec qui je sortais depuis trois mois. Trois mois
c'est pas long mais ç'avait été assez pour que je tombe
trop amoureux d'elle (« trop » dans le sens de « il aurait
fallu moins »). Il faut dire qu'au début j'avais eu
l'impression que c'était elle qui était tombée amoureuse
de moi, et il s'est avéré que finalement non. Mais
comme au début je croyais que oui, je m'étais complètement laissé emporter dans le truc et j'étais devenu
dingo de cette fille au fur et à mesure qu'elle l'était de
moins en moins de moi : un système de vases commu-
nicants. On avait passé plein de soirées à écouter
« Without You I'm Nothing » de Placebo (un vrai
disque triste et l'un des disques obtenus gratuitement
que j'ai le plus écoutés de ma vie) en fumant des
pétards (beaucoup aussi). Un soir, elle commença à me
faire sentir que je l'énervais. Elle était agacée alors que

je ne disais rien du tout ! Maintenant que j'y repense, il n'est pas impossible que le fait que je ne disais rien ait contribué à l'agacer. Un autre soir, j'ai sonné chez elle alors qu'il y avait de la lumière mais comme elle n'a pas ouvert, et que c'était quelques soirs après que j'avais senti que je l'énervais, j'ai compris que j'étais probablement en train de me faire larguer. J'en fus définitivement convaincu quand, trois jours plus tard, sans aucune de ses nouvelles, je la croisai dans la rue accompagnée d'un musicien de jazz. Ils me dirent « Salut » avec le ton de ceux qui n'avaient pas du tout prévu de me croiser, et je pense que le « Salut » que je leur rétorquai était tellement amer que je me demande si je ne leur dis pas tout simplement « Amer ». Mes trois premiers mois à *Rock Sound* furent donc quelque peu ternis par un état de tristesse qui transpirait dans certaines conversations que j'avais avec mes collègues, à certains moments ma voix déraillait légèrement dans les pleurs. Mais j'arrivais le plus souvent à me contenir et en avril 1999, j'arrivais à Paris pour réaliser mon rêve, prêt à en découdre et frais comme un gardon (un gardon prêt à éclater en sanglots en permanence).

Le 6 avril 1999 je signai pour la première fois un contrat à durée indéterminée chez les Éditions Freeway en qualité de journaliste pour 10 000 francs par mois, ce qui me donnait l'impression que j'allais gagner au Tac-O-Tac une fois par mois juste pour écouter des disques. Pendant l'entretien où Yves le rédacteur en chef et Pierre l'éditeur avaient confirmé mon embauche en m'annonçant le salaire qu'ils me proposaient, j'avais presque vacillé et dû me retenir d'émettre un petit rire euphorique. 10 000 francs ! « Une brique » comme aurait dit mon père, à moins qu'il n'ait pu dire « une plaque » car je n'ai jamais trop compris ce que distinguait une brique d'une plaque quand mon père parlait d'argent. 10 000 francs, c'est ce que j'aurais été prêt à débourser tous les mois pour faire un travail si j'en avais eu les moyens. J'avais 22 ans, abandonné mon Deug, aucun diplôme, mon expérience professionnelle se résumait à des vendanges en Touraine (quatre années de suite quand même) et à un personnage de brocoli pendant une semaine dans un supermarché. Le soir de la nouvelle, j'avais eu mon père au téléphone, luttant pour ne pas lui dire « Alooooors ??... qui c'est qui a bien fait d'arrêter son Deug ? », et comme je venais de lui annoncer mon salaire, je l'entendis transmettre l'info à ma mère en disant « Thomas est embauché au magazine. Un million par mois » car il s'exprimait parfois également encore en anciens francs.

Journaliste

Le mensuel *Rock Sound* avait été créé par les Éditions Freeway qui s'étaient d'abord spécialisées dans la presse régionale. Les Éditions Freeway avaient été montées quelques années plus tôt à Clermont-Ferrand par Christophe Bonicel, un homme qui ne souriait pas souvent et que tout le monde surnommait « Bonnie ». J'avais vu sa tête la toute première fois dans un livre que j'avais regardé à la Fnac et qui s'appelait *L'Année du disque* (une publication annuelle destinée aux professionnels de la musique, qui racontait l'année écoulée en parlant de la santé du milieu) où il avait figuré sur la liste des hommes et femmes de l'année 1998.

La première fois que je l'ai vu en vrai, il traversait nos locaux pour accéder au bureau de Pierre en téléphonant, et je m'étais dit « Lui c'est le boss, je le reconnais du livre à la Fnac ». C'est aussi la première personne de ma vie que j'ai vue utiliser une oreillette avec un téléphone. Il l'utilisait en permanence. On pouvait ne pas le voir pendant deux semaines, et d'un seul coup il entrait dans notre bureau en faisant les cent pas tout en parlant avec son interlocuteur, l'oreillette vissée, le téléphone dans la main en regardant au loin dans le bureau (six mètres tout au plus). Parfois quand on sortait du bureau le soir, il était dans un duffle-coat noir dans la pénombre de la cour, en train de parler dans son téléphone avec l'oreillette. Pour cette raison, il me faisait penser à « l'homme à la cigarette », le personnage de l'informateur dans la série *X-Files* qui apparaît toujours plus ou moins dans la pénombre pour donner des infos top secrètes. Parce qu'il avait été lancé à Clermont-Ferrand, *Rock Sound* garda toujours cette image de « magazine de rock auvergnat ». Cette origine puydômoise forçait à une certaine humilité. Ayant habité à Eu et à Beaumont-en-Véron, j'étais assez habitué à passer pour un campagnard. Une règle qui avait court à *Rock Sound* était de ne jamais mettre de majuscules au nom du magazine, et je sentais que c'était la même humilité qui était à l'origine de cette règle. À ses débuts, avec ses couvertures consacrées à Ride ou à Jean-Louis Murat, *Rock Sound* était plutôt en concurrence avec des titres comme *Les Inrockuptibles* ou *Rock & Folk*, et en faisant basculer sa ligne éditoriale vers une musique plus jeune (pop-rock, metal, punk) les ventes avaient bondi, et le magazine était en quelque sorte devenu le « navire amiral » des Éditions Freeway. L'éditeur Pierre Veillet avait créé le magazine depuis son appartement clermontois avant que la rédaction ne déménage à Paris. Il était le seul de la rédaction à porter des lunettes. C'est peut-être un détail, mais pour moi dans un groupe, celui qui a des lunettes, déjà ça se voit, donc c'est important de le préciser. Comme c'est lui qui avait monté le magazine, il recevait absolument tout ce qui sortait. Il n'était pas rare que les disques lui arrivent en plusieurs exemplaires. Régulièrement c'étaient des disques d'or à son nom, des versions promo rares, des éditions limitées, il recevait tout. Comme il était lui-même collectionneur, il avait les yeux ouverts sur toutes les sorties à venir, et il n'hésitait pas à passer les coups de fil qu'il fallait pour se faire envoyer le coffret de l'intégrale de Neil Young s'il ne l'avait pas déjà reçu grâce aux envois automatisés des maisons de disques. Pierre passait ses journées à manger des pommes. Il venait avec des sacs de 5 kg de Goldens qu'il déposait derrière son bureau en début de semaine et toute la

semaine, il se descendait le sac en écoutant les nouveautés dans son bureau et en supervisant l'envoi des
cahiers des magazines chez l'imprimeur. Pierre écoutait
absolument tous les disques qui sortaient mais il ne les
écoutait qu'une seule fois. Pour lui, un disque est
comme un film : une fois qu'on l'a vu, ce n'est pas la
peine de le revoir. Je suis exactement le contraire de ça.
Une fois que j'ai trouvé un disque qui me plaît, je n'ai
rien envie d'autre, et je l'écoute jusqu'à l'usure. Pierre
gardait un œil sur la rédaction en chef du magazine
qu'il avait donc attribuée à Yves Bongarçon, un ancien
journaliste de *Libération* correspondant à Lyon, pas-
sionné de musique lui aussi. J'avais le sentiment d'arriver pas longtemps avant que le concept de « presse
musicale » ne veuille plus dire grand-chose. Internet
n'était pas encore complètement démocratisé, j'arrivais
pile à temps pour profiter encore un peu de l'opulence
de gratuité qui avait eu cours dans « le milieu de la
musique » depuis trois décennies, même si j'avais cette
impression d'arriver vers la fin d'une fête énorme où il
ne reste plus que trois bières.

La devise du magazine était « *Music with attitude* »
car, comme pour les noms de mes groupes Streetfight
et Libido, j'étais arrivé trop tard pour qu'on me
demande mon avis. Si je voulais savoir à quelle attitude
faisait référence la devise, il suffisait de regarder Yves,
dont l'humeur rayonnait littéralement sur la rédaction.
« Music with attitude » était donc écrit à chaque fois
sur la couverture du magazine et parfois, Yves la répétait à voix haute dans le bureau avec son fort accent

américain en faisant le geste des cornes du diable avec l'index et l'auriculaire. À côté de l'édito, il se mettait souvent en photo avec l'artiste de la couverture (photo qui avait été réalisée en marge de la session de photo pour la une) et neuf fois sur dix les deux faisaient les oreilles du diable avec leurs doigts. Il arrivait que pendant l'écriture d'un article Yves éclate de rire en disant « J'adore ce job » puis il nous fixait dans les yeux en faisant là encore la fourche du diable avec ses doigts et il nous criait « Rock ! » mais avec l'accent, on entendait : « Wrack ! » Et on ne savait jamais trop quoi répondre, ne sachant pas s'il s'agissait d'une question ou d'une exclamation. Yves attachait une grande importance à la façon qu'il avait de se vêtir, même s'il n'avait pas véritablement de style défini. Un jour il pouvait arriver habillé en veste Hugo Boss avec des Ray-Ban noires, on aurait alors pu croire un tueur à gages sicilien, et le lendemain il arrivait au bureau en trottinette, avec des habits neufs de joueur de baseball, propres comme s'il devait entrer sur le terrain. Définir sa personnalité par sa seule façon de s'habiller aurait été une chose impossible (ou alors en employant le terme « schizophrène »). Il arrivait certains jours qu'Yves entre dans le bureau en faisant une mine épouvantable et comme son humeur avait une incidence directe sur celle de la rédaction, il régnait alors une ambiance d'hiver nucléaire. Mais la plupart du temps, il était hyper expansif et généreux, ce qui l'amenait aussi à avoir un comportement que je redoutais : il aimait

qu'on se checke. Il aimait taper la main de son interlocuteur quand quelque chose les faisait rire en commun.
Si quelque chose me fait rire avec quelqu'un et que
l'autre brandit sa main pour que je tape dedans, il y a
toujours un effet de surprise qui atténue un peu mon
rire, et quand je tape, j'ai un peu l'impression d'obéir,
je ne sais jamais avec quelle force taper précisément, et
parfois il y a un doigt qui passe à côté et j'ai l'auriculaire cassé dans son annulaire. Une fois nous étions
attablés avec plusieurs autres journalistes et attachés de
presse, Yves était assis à deux chaises de moi. Après une
blague, il éclata de rire et leva la main en me regardant,
hélas j'étais trop loin de lui pour l'atteindre. Le temps
de signifier à ma voisine qu'elle se décale légèrement et
que je me dresse pour aller taper la sienne, Yves rabaissa
sa main, le check semblait annulé et je me rassis donc.
Tout ça se tint en l'espace d'environ quatre secondes.
C'est à cause de ce genre de situation que je ne suis
globalement pas à l'aise avec l'idée du check.

Un magazine acheté, un CD offert

Un trentenaire, Frank, était le secrétaire de rédaction, encyclopédie du rock indépendant, du hardcore
et du punk, et avait créé le fanzine *Violence* et interviewé Concrete Idea, le premier groupe de mon ami
Chacha. Frank connaissait Chacha ! J'adorais cette idée

car ça me donnait un lien avec ma bande de potes de Tours. Frank était très respecté dans le milieu du punk et du hardcore et il était clairement le garant de la crédibilité du magazine pour beaucoup de lecteurs et de labels. Son avis était d'une grande importance pour Yves. Frank écoutait absolument tout ce qui lui était envoyé, au casque dans le bureau, en travaillant consciencieusement. Il collectionnait tout ce qui avait un rapport avec *Star Wars*, il avait un masque de *stormtrooper*, fréquentait les cinémas *bis* et achetait tous les films en cassettes vidéo dès lors que le mot « godzilla » était écrit sur la jaquette. Frank n'était pas pointu qu'en musique, il l'était aussi en cinéma. Il fut aussi l'une des premières personnes que j'ai rencontrées qui collectionnait les jouets. En allant chez lui la première fois passage du Bureau dans le 11e, j'avais été effaré par le soin avec lequel ses collections étaient rangées. Il y avait une étagère spécialement réservée aux zombies ! Ses figurines étaient disposées les unes à côté des autres. Pour la première fois depuis que je n'avais pas renouvelé ma carte Joué Club (environ vingt ans plus tôt), je me remis à trouver qu'il y avait quelque chose de classe dans le fait de collectionner les jouets. Je dois bien m'avouer que c'est sous son influence que, quelques jours plus tard, j'allai à la Grande Récré sur les Grands Boulevards, décidé à fleurir moi aussi mon appartement de jouets et de figurines. Et comme je venais de voir *Toy Story*, j'achetai le robot de Buzz l'Éclair. J'avais beaucoup aimé ce film, mais clairement pas au point d'acheter un jouet à l'effigie d'un des personnages. De retour au bureau après mon achat, Olivier (qui était dans le bureau à côté du mien et qui partageait les mêmes obsessions que Frank) me demanda en voyant le jouet Buzz l'Éclair si c'était l'anniversaire de mon neveu. Je compris aussitôt que ce n'était pas une blague, il pensait vraiment que j'étais invité à l'anniversaire d'un enfant. Un peu étonné qu'il me demande ça, je lui répondis : « Non c'est pour moi ! » Olivier est l'une des personnes les plus gentilles du monde donc au moment où je lui dis ça, il me regarda d'un air qui était un mélange d'étonnement, et de « c'est marrant je ne t'imaginais pas trop acheter Buzz l'Éclair en jouet ». Puis il se remit à travailler, en essayant de me montrer qu'il était content pour moi. Comme ce jouet fut mon unique achat de jouet (après lequel j'abandonnai l'idée de les collectionner), la plupart des gens qui sont passés chez moi les années suivantes me dirent souvent « Tiens ! Tu as Buzz l'Éclair ?! » en le voyant traîner, d'un air étonné qui me rappela à chaque fois celui d'Olivier le jour où je l'avais acheté.

Olivier était aussi chanteur et guitariste de l'excellent groupe Dead Pop Club avec lequel il enregistra cinq albums, et cette activité lui accordait les faveurs d'Yves. Il trouvait tellement bien d'avoir un journaliste de la rédaction qui était également chanteur d'un groupe que tous les week-ends après leurs concerts, Olivier devait raconter à Yves où ils avaient joué et comment ça s'était passé, et si le concert s'était terminé par leur reprise de « Police on My Back » des Clash, Yves faisait

« Wrack ! » dans le studio. Frank était aussi celui que j'appelais dans le bureau dès que j'avais un problème avec mon ordinateur. Je n'ai jamais rien compris à l'informatique. Je sais que toutes les infos nous parviennent avec des 1 et des 0 mais même cette information, je ne la comprends pas : la première fois qu'on m'a dit ça, j'ai pris une loupe que j'ai approchée de la photo sur un ordinateur pour voir si des minuscules 0 et 1 composaient la photo comme les photos géantes de Bob Marley composées d'autres toutes petites photos de Bob Marley qu'on voit en vente sur les marchés. Mais je n'ai vu ni 0 ni 1, donc je ne comprends tout simplement pas comment des 1 et des 0 se transforment en fichiers Word ou en photos sur un écran. Même les MP3, il paraît que c'est des 1 et des 0. Je ne fais que vous répéter ce qu'on m'a dit là-dessus : il paraît que c'est sûr que c'est ça. Et je ne sais pas de quoi on me parle. C'est comme si on me disait que « scientifiquement le bois n'est pas réel » ou que « Gérard Depardieu est une chaussure » : je serais comme une poule devant un couteau à me demander de quoi on me parle. Je ne comprends pas comment fonctionne dans l'ensemble tout ce qui est de l'univers « des appareils ». Heureusement pour moi, au bureau on ne travaillait que sur traitement de texte et ce n'était pas très compliqué, je partais à chaque fois du même fichier vierge QuarkXPress que m'avait créé Frank et je faisais « enregistrer sous » un nouveau titre à chaque fois. Et au moindre bug, dès que la barre n'avançait plus quand j'appuyais sur espace ou que ça faisait une note de musique, j'appelais Frank qui râlait un peu de devoir se retrouver à faire de la maintenance informatique pendant que je le regardais totalement impuissant.

Je n'étais pas meilleur en dactylographie. La première fois que j'étais entré dans le bureau de *Rock Sound*, j'avais été impressionné par le bruit des claviers généré par la rapidité avec laquelle les journalistes tapaient pour écrire, je m'étais dit qu'il y aurait du boulot avant que j'arrive à taper aussi vite qu'eux.

Chez Freeway, chaque numéro était vendu avec un CD qui proposait la compilation d'une douzaine de morceaux des groupes présentés à l'intérieur du magazine. Dès lors qu'Yves et Pierre avaient eu l'idée de ce CD, les ventes avaient doublé. Le CD était vraiment le produit en plus qui faisait la différence pour les lecteurs. Il faut se souvenir de l'importance qu'avait l'objet CD dans les années 1980 et 90. Un CD gratuit, c'était pas rien ! Quand j'ai intégré la rédaction, Freeway venait de se prendre une énorme amende car la boîte n'avait jamais rien payé à la Sacem. Ça peut sembler fou mais je crois que c'est juste parce qu'ils ne le savaient pas. Personne ne leur avait dit qu'il faut payer des droits quand on reproduit des dizaines de milliers de CD avec des titres déposés. Quand je suis arrivé c'est un truc dont on parlait beaucoup dans les couloirs, ce million de francs (100 millions pour mon père) que la boîte devait verser à la Sacem. Tout ça était retombé sur les frêles épaules de Jeff, le petit frère de Pierre, qui était en charge tous les mois de la production des contenus pour les CD. Ce travail demandait une organisation énorme (le mot « rétroplanning » revenait souvent dans sa bouche), entre les autorisations à faire signer par les maisons de disques et les délais de fabrication du CD qui devait être inséré dans les pages du magazine au moment de l'impression. À cause de ce calendrier très précis, Jeff était toujours au bord de l'implosion. Parfois depuis notre bureau, on entendait quatre gros coups de poing donnés dans la photocopieuse et il traversait le bureau en vociférant de rage pour lui-même contre ce matériel qui ne marchait pas ou ces cons qui ne savaient pas bosser. Nous étions sept dans les 25 m² du bureau de *Rock Sound*. C'était en quelque sorte un ancêtre de l'open space, mais en tout petit. Situé au 1, rue Rougemont dans le 9ᵉ arrondissement au premier étage, il était à l'angle du boulevard Poissonnière. Je fus immédiatement à l'aise dans ce bureau qui faisait vraiment penser à ma chambre quand j'étais adolescent, mais en mieux : chaque centimètre carré était recouvert d'autocollants, d'affiches de groupes, de concerts de groupes ou de festivals. Il y avait des piles de CD, des bureaux qui débordaient de revues musicales étrangères, des tas de courrier un peu partout. Il y avait aussi de nombreuses photos imprimées sur photocopieuse couleur laser de membres de la rédaction en train de faire les guignols. Oui, on avait accès à une photocopieuse couleur laser gratuite. Même si je n'ai jamais su la faire fonctionner convenablement, c'était dingue d'avoir un service pour lequel je n'hésitais pas à payer 10 francs de ma poche quelques mois plus tôt.

Le début du magazine était composé d'un courrier des lecteurs long de sept ou huit pages qui s'appelait « Le coin des rocksounders » et qui était digne de celui de *OK Podium*. Tous les mois, des dizaines de gamins écrivaient des courriers à la rédaction et à leurs groupes préférés en se persuadant plus ou moins qu'on était assez connectés avec eux pour les leur faire passer. Les enveloppes étaient coloriées, les courriers contenaient des dessins avec les noms de groupes entourés de cœurs. Cette partie du magazine était clairement la plus difficile à assumer pour nous, mais Yves était persuadé que cette « tribune » donnée aux lecteurs était une façon de les fidéliser. D'une façon générale tout ce que demandait le lecteur était parole d'évangile, et il suffisait qu'Yves trouve le nom du même groupe plébiscité dans deux ou trois courriers pour que nous soyons assurés que le groupe en question serait traité dans les pages du numéro suivant. Il y avait ensuite une dizaine de pages de news en tête desquelles, pour être sûr de ne pas se tromper, était écrit « Et maintenant : les NEWS ! » Les news étaient contenues dans le dernier cahier de pages à faire partir chez l'imprimeur, de façon à y intégrer les nouvelles les plus récentes. Certains mois étaient plus riches en actualités que d'autres, et parfois, pour une news sur le groupe Machine Head par exemple, dont nous venions juste de récupérer la liste des morceaux du prochain album, nous ne faisions qu'écrire « ça y est nous avons enfin la liste des titres

du nouvel album de Machine Head qui s'appelle-
ront... » et nous listions les morceaux. Je me demandais dans quelle mesure ça pouvait bien faire office de
« news » pour qui que ce soit, Yves disait que c'est le
genre de news qui n'intéresse pas grand monde, mais
que « ceux que ça intéresse, ça les intéresse *énormément* ».

Cafouillages virtuels

À cette époque, Jérôme, un de mes meilleurs amis,
faisait de la musique dans un groupe appelé Platipus
qui venait de sortir deux titres en single chez Universal
mais, insatisfait, le label ne faisait pas grand-chose pour
pousser le groupe. J'avais connu Jérôme à Tours mais
comme le groupe était en studio à ce moment-là à
Paris, je l'avais invité à squatter chez moi. Un soir
d'apéro avec lui, alors que je lui racontais le fonctionnement d'Yves avec les sollicitations des lecteurs, j'en
profitai pour lui glisser une idée d'arnaque : s'il galérait
avec son groupe, c'était pas dur, il n'avait qu'à envoyer
à *Rock Sound* des faux courriers de fans ou des faux
e-mails demandant des articles sur Platipus et à un
moment ça finirait bien par arriver. Le soir j'allai dîner
au restaurant avec ma copine et en revenant, je me
remis à parler avec Jérôme qui me dit en loucedé qu'il
avait profité d'être seul « pour envoyer quelques petits

mails de fan » à Yves. Immédiatement me sauta à l'esprit un détail que j'avais omis de lui préciser quand je lui avais dit qu'il suffisait d'envoyer des mails de fans, c'était évidemment qu'il fallait auparavant créer des adresses mail différentes, même si ça semblait tellement évident qu'il ne m'avait pas paru utile de le préciser. « Des adresses mail différentes… de ? » me demanda Jérôme comme s'il n'avait pas encore vu l'évidence, me donnant une première sueur froide. Pourtant je le savais, Jérôme ne savait pas bien se servir d'Internet, et le regard d'incompréhension qui accompagnait sa remarque me fit comprendre qu'à cause de la proximité de mon bureau avec celui d'Yves, je risquais de passer ma journée du lendemain comme ceci : en boule. « Des adresses mail différentes de fans différents ! » précisai-je. Quand je compris que Jérôme n'avait pas créé de fausse adresse mail DU TOUT, je m'inquiétai naturellement de connaître l'unique adresse depuis laquelle il avait fait partir ses faux mails, sachant qu'il avait fait tout ça depuis mon ordinateur. « Ben… par rapport aux mails ? » relança Jérôme comme pour faire croire qu'il essayait de comprendre le souci. Je me précipitai et découvris, terrifié, que Jérôme avait envoyé tous les courriers depuis mon application mail. Yves venait de recevoir des mails de fans de Platipus signés de différents prénoms, mais tous envoyés depuis mon adresse perso. Jérôme à ce moment-là me regarda et dit « Oh et puis de toute façon j'en ai marre de ce groupe ! Ça n'avance pas, il se passe rien. » Comme s'il s'agissait alors de son problème et pas du mien. Je tentai quand même de lui faire comprendre quelle allait être la nature de ce problème le lendemain au bureau, ce à quoi, encore une fois, il eut beau jeu de répondre « Mais de toute façon je comprends rien à ton Internet là » comme si c'était de ma faute. Le lendemain j'arrivai au bureau les mains moites et déjà refroidi à l'avance par la réflexion que j'allais tout à fait légitimement me prendre de la part d'Yves. Mais le voyant arriver d'une humeur joviale, allumer son ordinateur et ne pas réagir, au bout de vingt minutes je finis par me dire qu'il n'avait pas fait attention au problème. Jusqu'à ce que le soir, fatigué, il finisse par me lâcher « Dis donc ton pote il ne se fout pas un peu de ma gueule ? J'ai reçu plein de mails signés par des prénoms différents, tous envoyés par Thomas Vandenberghe ! Il squatte pas chez toi ton copain de Platipus ? » Heureusement j'avais prévu quelque chose à lui répondre et j'enchaînai aussi sec : « Tu fais bien de m'en parler ! Il m'a dit de te dire qu'il était désolé car tu ne devais pas avoir dû comprendre qu'il t'ait réexpédié des mails de fans depuis mon mail !! »

Des interviews ratées

L'une des choses qui me surprit le plus quand je fus embauché à *Rock Sound* est que personne ne s'inquiéta de mon niveau d'anglais. Je ne savais pas si on attendait de moi que je parle couramment ou juste correctement, mais il me semble que même si je n'avais pas du tout parlé la langue, on m'aurait embauché car personne ne me posa de question à ce sujet. Il me semblait donc que j'étais d'un assez bon niveau (niveau Deug) mais je n'étais pourtant pas préparé à rencontrer des chanteurs souvent très fatigués, des guitaristes peu soucieux d'être bien compris, parfois même originaires du pays de Galles, d'Écosse, ou qui s'expriment de la même façon que moi quand j'essaye d'imiter le son d'un tracteur avec ma bouche. Mes interviews tournaient quelque fois autour d'un mot dont j'ignorais totalement la signification lancé par celui avec qui je parlais, et ce mot revenait ensuite plein de fois dans la conversation. C'était comme tenir une sorte de conversation-équation à une inconnue. Après l'interview, je revenais au bureau, je regardais le sens du mot dans le dico, et d'un coup, tout s'éclaircissait, je comprenais enfin de quoi je venais de parler pendant une heure. Il m'arrive parfois d'attendre le métro et d'être heurté de plein fouet non pas par la voiture de tête mais par le souvenir de la honte d'une situation vécue des années aupara-vant. Je reconnais aujourd'hui qu'il est possible que quelques-uns des musiciens étrangers avec lesquels je me suis « entretenu » aient pu avoir des inquiétudes pendant nos conversations quant à ma capacité à retranscrire fidèlement leurs propos… Pauvre Max Cavalera ! Max Cavalera est l'un des musiciens de metal les plus populaires de l'histoire (du metal), fon-dateur de Sepultura avec son frère Igor. Il est brésilien et parle très bien anglais mais il n'a jamais vraiment perdu son accent. Et moi, donc, un jour je lui demande où il met les limites entre le heavy metal et le thrash metal. Il commence à m'expliquer que pour lui le heavy metal est le fils du rock'n'roll et du blues (« *The son of rock'n'roll and blues* »). Sauf que moi j'avais compris « *sun* ». « Le soleil du rock'n'roll et du blues ». Certes je n'avais pas bien compris pourquoi il utilisait la métaphore du système solaire pour me parler du heavy metal, mais je m'étais dit « après tout, pourquoi pas ? » C'est une métaphore qu'on n'utilise pas beaucoup, la métaphore du système solaire, et elle en vaut bien une autre, en fin de compte. Donc, quand Cavalera poursuivit sa comparaison en me disant que, comparé au punk, le thrash metal était plutôt pour lui… et moi je le coupai, et lui dis « *The moon ?* » (la lune évidemment ! La lune du thrash !). Et lui, Max Cavalera, gentil, de me répondre « *Yeah.* » Je revois comme si c'était hier la façon qu'il eut de me dire « *Yeah* » quand je lui dis « *The moon !* » Moi, si heureux de lui montrer que j'avais compris où il voulait en venir avec sa métaphore, que j'avais une longueur d'avance sur la suite logique de sa phrase, et lui, perdu d'un coup, ne cherchant même plus à comprendre pourquoi on était sorti de l'orbite de la Terre en deux secondes. Il avait dit « *Yeah* » comme quelqu'un qui serait content d'avoir perdu. C'était en tout cas le « *Yeah* » le plus défait de l'Histoire à l'évocation de la lune. Il n'y a je pense que le gars qui est allé sur la Lune avec Neil Armstrong mais qui n'a pas eu le droit d'y poser le pied qui doit avoir la mine aussi défaite quand on lui parle de la Lune. N'empêche que, grâce à cette expérience, je suis en mesure de dire que j'ai essayé de réfléchir à l'idée de penser la musique comme une métaphore du système solaire, idée que je croyais être de Max Cavalera mais qui est donc finalement la mienne, et je ne suis pas loin de penser que ça peut être quelque chose de très intéressant à faire. L'idée est bien sûr à affiner, mais quand on y pense pourquoi un style de musique ne serait-il pas la lune d'un autre style de musique ? Le rock, c'est la lune du jazz ! Pourquoi la funk ne serait-elle pas une planète du reggae ? Si quelqu'un arrive à pousser cette idée je rappelle toutefois que j'en détiens le copyright.

Il faut bien que je me rende à l'évidence : même si aujourd'hui j'ai un niveau d'anglais plutôt correct, je crois pouvoir dire que je n'ai prêté attention au sens que de 20 % ou 30 % des paroles des chansons en anglais que j'ai écoutées dans ma vie. Pour moi, le son des mots a beaucoup plus d'importance que leur sens. Pour moi l'équilibre de la chanson tient vraiment dans le produit du mélange des sons de la musique et des paroles. C'est sûrement la raison pour laquelle j'ai écouté si peu de musique chantée en français dans ma vie, parce que le sens prend presque trop de place. Si j'entends une chanson de Brel ou de Brassens, ce que j'entends en premier sont les « r » qui roulent, des intrigues avec des valses à mille temps, les bonbons, les bancs publics, bref j'ai l'impression d'être dans les années 1950, tout est en noir et blanc et c'est cafard automatique. Je n'ai pas l'impression d'écouter une chanson mais une histoire avec quelqu'un qui parle en changeant de note à chaque syllabe comme dans *Les Parapluies de Cherbourg.* Ça fait bizarre de se dire que quand les Anglo-Saxons écoutent une chanson de Neil Young, le sens des textes leur apparaît de façon aussi évidente qu'à nous Français quand on entend une chanson de Julien Clerc. Nirvana pour un anglophone, c'est juste de la chanson française hyper énervée pour nous. Je ne sais pas si vous avez déjà imaginé comprendre toutes les paroles des chansons de Kurt Cobain mais c'est exactement ce qui arrive à un anglophone quand il écoute Nirvana. Le contraire marche aussi évidemment : que voulez-vous qu'un anglophone comprenne à « Macumba » de Jean-Pierre Mader, à part que ce n'est pas la peine de la réécouter une deuxième fois ? On peut même dire que tous les gens qui ne parlent pas du tout anglais vont avoir une façon de s'approprier la chanson que ne peuvent même pas concevoir les anglophones. Les deux entendent la même mélodie mais le premier entend « du yaourt » et des bruits de bouche, le deuxième entend un texte qui « fait sens ». C'est pareil pour le nom des groupes : un Anglais qui écoute « Let's Spend the Night Together » des Rolling Stones entend une chanson des Pierres qui roulent qui s'appelle « Passons la nuit ensemble » : tout est livré dans sa langue d'origine. À ce titre n'importe quel nom de groupe traduit en français sonne un peu comme les Chaussettes noires pour nous. Si les Français disent écouter les groupes New Order ou les Black

Crowes, les anglophones parlent entre eux de ces groupes formidables que sont Ordre nouveau et les Corbeaux noirs. Tout ça me fait me demander si j'aurais été fan de musique si j'avais été anglophone de naissance.

Sur la piste de Zebrahead

À chaque fois que le bouclage d'un numéro était assuré, il y avait toujours une période de flottement de quelques jours où ça glandait pas mal au bureau, ce qui me fit un peu culpabiliser au début, car il y avait plein de moments où il n'y avait absolument rien à faire. Un jour, fraîchement arrivé à la rédaction après un bouclage, j'étais en train de baguenauder, et Yves était en train de lire un article dans *Alternative Press* sur les trente groupes du moment à suivre (mais j'aurais pu dire « Yves était en train de glander aussi »). J'allai donc voir Yves et lui demandai si je pouvais lui être d'une quelconque utilité. Yves fut totalement décontenancé que je vienne lui demander quelque chose à faire alors qu'il lisait tranquilou. Il faut dire aussi que depuis tout petit, je m'étais fabriqué une image mentale du métier de « rédacteur en chef » en voyant le film *Superman*, dans lequel le personnage de Clark Kent est malmené par un rédac-chef aboyant des ordres à ses journalistes en buvant des tonnes de café. Yves se tenait assez loin de ce cliché. Et c'est vrai que si j'avais voulu faire un flagrant délit de quelqu'un en train de pas faire grand-chose, j'aurais pu arriver à ce moment pile devant lui en criant : « Gaulé ! » Bref, je sentis que je le prenais totalement au dépourvu avec mon histoire de truc à faire pour meubler le temps mort. Comme le magazine était ouvert devant lui à la page d'un article sur un groupe inconnu nommé Zebrahead, Yves improvisa aussitôt : « Alors mon cher Thomas tu vas te mettre, sur la piste... de Zebrahead. » Le journal avec l'article sur le groupe était ouvert à la page 54. M'aurait-il confié un article sur le groupe présenté page 52 si j'étais arrivé dix secondes plus tôt ? Je n'arrivais pas à me sortir de la tête qu'il avait utilisé l'expression de vouloir me « mettre sur la piste » parce qu'il y avait le mot « zèbre » dans le nom du groupe. J'avais une mission, je devais « pister Zebrahead » et pendant quelques secondes j'eus l'impression qu'il me prenait pour Tintin au Congo (à cause du souvenir que j'ai de *Tintin au Congo* sur la couverture duquel j'étais convaincu de la présence d'un zèbre, alors qu'en fait c'est une girafe). Avais-je véritablement voulu me retrouver journaliste pour « pister » des groupes ? Que cela impliquait-il vraiment ? Allais-je devoir mettre en place une filature ? Utiliser un appeau ? Je dus simplement me résoudre à appeler Sony, distributeur français du label Columbia qui était mentionné dans l'article du magazine, pour m'entendre dire que l'album ne serait pas commercialisé en France, et je dus donc laisser un message (très confus) sur le numéro d'une attachée de presse américaine péniblement obtenu, qui ne me rappela jamais. Finalement Columbia sortit l'album en France un an plus tard et n'en vendit qu'environ 1 000 exemplaires. L'album n'était pas d'un grand intérêt et le groupe n'en aurait probablement pas vendu davantage si le disque était sorti un an plus tôt. Et je sais de quoi je parle : je les ai pistés.

Deuxième personnage chez Carrefour

J'essayais de rentrer à Tours aussi souvent que possible pour voir mes potes Chacha, Nico Boritch et aussi Rodolphe que j'avais rencontré avec la troupe d'improvisation. À chaque fois que Rodolphe faisait des personnages ou se mettait à danser, il nous faisait hurler de rire, et il nous racontait qu'il avait tout appris au Club. Pour lui c'était évident qu'on allait comprendre que le club dont il parlait, c'était le Club Méditerranée, où il avait donc été animateur, mais je me souviens que lors de nos toutes premières conversations je me demandais diable de quel club il pouvait bien s'agir. Il en tirait une fierté qui me semblait un peu disproportionnée mais en vrai je ne connais pas la juste proportion de fierté qu'on est censé tirer d'avoir travaillé au Club Med, en tout cas quoi qu'on ait pu en dire ou en penser, Rod était vraiment plus drôle que la plupart d'entre nous. On avait remarqué que nos sketches faisaient particulièrement rire quand on était tous les deux en impro et on commençait à devenir copains, ce qui me fit un peu bizarre au début car il avait une mèche blonde dans les cheveux. C'est le premier et seul pote que j'ai jamais eu avec une mèche décolorée. Tous les gars que j'avais connus plus jeune qui avaient une mèche décolorée avaient une mobylette bricolée pour aller plus vite, et un guidon avec les mains très rapprochées. Rod ne mettait que des habits de la marque Waikiki ou des tee-shirts sur lesquels étaient presque toujours écrits les mots « beach » ou « surf », ce qui, ajouté à la mèche, lui donnait un genre qui n'était pas celui des gens que je choisissais habituellement.

Rod n'était pas spécialement fan de musique. Il devait à peine écouter Chérie FM dans sa salle de bains, tout au plus aimait-il beaucoup Depeche Mode. Il était plus Club Med que fan-club. Depuis que j'avais quitté Tours pour Paris, Rodolphe voulait absolument qu'on travaille ensemble. Ce n'était pas l'envie qui me manquait, mais j'avais vraiment l'impression que quitter Tours comme je venais de le faire un an plus tôt signifiait implicitement que je m'implique à fond dans le journal et j'avais du mal à imaginer comment on pouvait lancer un spectacle en étant séparés de 300 km. Rodolphe avait une idée de spectacle : un personnage appelé « Freddy Coudboul ». « Un mec qui fait que battre des records : le record de cassage de noix avec la tête, le record de gobage de Flanby, le record d'écrabouillage de biscottes sur du macadam. » On dit qu'il ne faut pas jouer avec la nourriture, mais ça ne semblait pas préoccuper Rodolphe. C'était son idée de spectacle.

« Et toi t'es à côté de moi, tu parles, tu me présentes, tu dis des conneries. » Rodolphe insista beaucoup et j'avoue qu'une partie de moi s'en voulait de ne plus monter sur scène, alors je finis par accepter de tenter au moins une longue improvisation selon ce canevas, et le 8 septembre 2000 nous donnâmes la première représentation 100 % improvisée de ce qui allait devenir le spectacle *Freddy Coudboul, recordman profession-nel.* Et là je vois bien que certains d'entre vous se disent : mais où eut-elle lieu, cette représentation ? J'y viens. Oui je ne m'en cache pas, elle eut lieu dans l'allée centrale de la galerie commerciale du Carrefour, de Saint-Pierre-des-Corps cette fois-ci. Je ne peux pas vous en vouloir d'avoir envie de me demander : « Était-ce une ambition particulière de jouer dans des supermar-chés Carrefour ? » Pas spécialement. Certains de mes choix combinés aux hasards de la vie m'avaient seule-ment conduit à jouer déguisé en brocoli au Carrefour d'Angers, et cette année à celui de Saint-Pierre-des-Corps, dans le costume de Enrique (prénom que nous avions imaginé pour le Monsieur Loyal du spectacle). Comme il était prévu que nous jouions plusieurs fois dans la journée, Rodolphe dut battre à plusieurs reprises les records et nous remontions entre chaque intervention à la galerie du magasin dans la « loge » qui nous était attribuée, juste à côté du bureau des achats du supermarché. Ce jour-là, Rodolphe dut bien gober une soixantaine de Flanbys et en fermant les yeux aujourd'hui, je peux encore l'entendre les vomir

176

bruyamment, la tête plongée dans la cuvette des toilettes de notre loge. Le spectacle était particulièrement physique pour lui. Au moment du cassage de noix avec la tête, j'étais équipé d'un sac entier plein de noix que je lui envoyais l'une après l'autre. Rodolphe devait attraper chaque noix et faire le poirier au-dessus en l'écrasant avec sa tête qui était équipée d'un casque. Plus le sac de noix était plein, plus il fallait enchaîner les poiriers. Juste après, il fallait battre le record du montage de blancs en neige à la main, et comme c'est Rodolphe encore une fois qui s'y collait, à terme, nous décidâmes de ne finalement pas garder ce record dans le spectacle, par peur que Rodolphe ne fasse un AVC. Ce record était long à regarder et particulièrement peu spectaculaire : Rodolphe séparait simplement les blancs des jaunes de douze œufs, et commençait à touiller les blancs très rapidement avec les doigts, il fallait bien une dizaine de minutes de touillage rapide avec le bras pour qu'apparaissent de premières bulles. Debout à côté de lui, armé de mon micro, je m'époumonais sur des répliques improvisées du genre « Bah on va se la faire cette mousse au chocolat ! » en fixant le public [1] dans le blanc des yeux, séparés des jaunes eux aussi. Il n'y avait aucun doute sur le fait que les gens étaient stupéfaits, sans que l'on sache si cette impression était positive ou négative. Toutefois, à la fin de la journée, le chargé de production qui avait fait venir plusieurs

---

1. Public qui n'en était d'ailleurs pas véritablement un, puisque chaque spectateur qui le composait était accoudé à un caddie.

compagnies théâtrales pour l'animation (car oui c'est bien de cela qu'il s'agissait) vint nous voir et nous annonça qu'il voulait d'ores et déjà nous placer sur de nouveaux événements et autres festivals. Il voulait que *Freddy Coudboul* continue d'exister en nous promettant cette fois-ci de passer un cap professionnel : jouer dans des endroits non liés à l'univers de la grande distribution. J'étais content de voir qu'il nous avait trouvés drôles, et en même temps je priais pour que les nouvelles dates qui allaient nous être proposées ne tombent pas au milieu d'une période de bouclage au magazine, ni sur les mêmes dates qu'un voyage pour une interview.

Il n'y avait aucun rapport entre mon poste de journaliste à *Rock Sound* et mon activité parallèle de Monsieur Loyal dans le spectacle *Freddy Coudboul,* si ce n'est que les deux me faisaient évoluer dans un domaine artistique. Mon voisin de bureau Olivier avait son groupe Dead Pop Club mais au moins il y avait un rapport : Dead Pop Club était un groupe de rock inspiré par beaucoup de groupes dont nous parlions dans le magazine. Moi il n'y avait vraiment aucun rapport entre mes deux activités. Il aurait fallu que je travaille dans un magazine spécialisé sur des gens qui battent des blancs en neige à la main. Le fait d'avoir deux activités si différentes me donnait l'impression d'avoir une botte secrète. Je trouvais grisant d'interviewer des musiciens américains ou britanniques sans qu'ils puissent s'imaginer que j'avais passé le week-end dans un festival de théâtre de rue à hurler dans un micro devant des centaines de personnes. Et j'aimais aussi l'idée que dans le public du spectacle qui venait nous voir, il pouvait aussi y avoir des lecteurs de *Rock Sound*, qui devaient être à cent lieues de s'imaginer que j'y étais journaliste.

Seattle, Los Angeles et chaussettes à motifs

Je n'étais encore jamais allé aux États-Unis de ma vie avant de travailler à *Rock Sound*. Deux mois après mon arrivée j'y fis deux allers-retours en un mois, ce qui me fit immédiatement me considérer comme une sorte de globe-trotter à la Nicolas Hulot (première période). Le premier voyage fut pour Seattle afin d'interviewer le chanteur de Soundgarden, Chris Cornell, qui sortait son premier album solo. Si vous ne connaissez pas Soundgarden, vous connaissez forcément Nirvana, non ? Eh bien Soundgarden c'étaient les potes et voisins de Nirvana à Seattle à la même époque. Jusqu'à ce que Kurt Cobain se suicide en 1994, après quoi ils arrêtèrent de se voir (tout du moins jusqu'à mai 2017, quand Chris Cornell se suicida également). Ce vol était avec correspondance à Philadelphie. Quand on sortit de l'avion avec Gilles, l'attaché de presse de Polydor, et Vincent, le photographe du magazine *Rage* qui était parti avec nous, je mis le pied dans le terminal en essayant d'arborer un air fatigué et blasé, alors que dans ma tête je ne faisais que me dire « Bon sang je suis aux States !!! Payé en plus ! » Je n'en revenais tout simplement pas. Rien ne me semblait plus fou que d'avoir une correspondance à Philadelphie pour raisons professionnelles. J'avais été prévenu qu'en arrivant à la douane américaine, il ne fallait surtout pas dire qu'on venait pour travailler, sinon il fallait que l'éditeur achète un visa pour le pays à chaque journaliste et chaque photographe. Étant donné l'économie croissante mais précaire de Freeway et le nombre de voyages effectués par les journalistes, c'était impossible. Cependant ni Yves ni Pierre ne me communiquèrent jamais réellement cette information, qui revenait à me faire mentir aux douanes américaines « par obligation professionnelle ». Arrivé à la douane, pendant quarante-cinq minutes dans la file d'attente, je commençais à m'inquiéter de savoir si j'allais être capable de mentir au douanier et quelles pourraient être les répercussions si on se rendait compte que je venais dans le pays pour travailler. Après avoir examiné le questionnaire où j'avais dans l'avion méticuleusement répondu « non » aux questions qui me demandaient si j'avais déjà fait partie d'une organisation terroriste dans ma vie ou si j'avais plus de 10 000 dollars en cash dans mes bagages, le douanier me demanda : « Pour quelle raison venez-vous aux États-Unis ? » C'est exactement à ce moment-là que ma playlist mentale commença à jouer la musique de *Midnight Express*.

« Je viens assister à un concert.

— Un concert de qui ?

— Un concert de Chris Cornell, le chanteur de Soundgarden. »

Peut-être espérais-je que le douanier soit fan de Soundgarden et qu'il soit hyper content pour moi, mais il bougea sa tête d'une façon qui aurait été la même si je lui avais dit que je venais pour assister à un spectacle de marionnettes. J'avais décidé de me rapprocher au maximum de la vérité sans préciser que j'étais journaliste et que je devais *interviewer* Chris Cornell. Je voulais mentir mais le moins possible. Je devais juste ne pas dire que je venais travailler et pourtant c'était tentant de raconter la vérité ! J'étais un journaliste de rock qui venait faire une interview aux USA ! En plus, mon pantalon treillis et ma sacoche me donnaient un air terriblement bourlingueur (un peu genre Camel Trophy). Je peux vous dire que si quelqu'un avait fait une photo de moi en train de fumer ma clope entre deux vols à l'aéroport de Philadelphie à ce moment précis, on l'aurait mise sur la couverture de ce livre, ça ne fait pas l'ombre d'un doute. Le douanier me demanda : « Vous rentrez dans quatre jours ? Vous faites ce voyage uniquement pour un concert ? » avec cet œil qui commençait à ressembler à celui du chef de la Gestapo qui croit découvrir que le petit garçon avec qui il est en train de parler est juif (on vient de passer de *Midnight Express* à *Un sac de billes*). Tout en essorant mes mains mouillées par la moiteur sous le guichet, je répondis que oui. Le douanier tamponna le passeport en levant les yeux au ciel et je pense qu'il me vit comme une sorte de gosse de riche qui va aux États-Unis *juste pour un concert*, comme un jet-setter habillé au pif qui voyage en deuxième classe parce que c'est pittoresque. Je n'ai pas beaucoup de souvenirs de ce premier voyage à Seattle. J'ai marché dans la rue pendant trois jours mais j'étais trop occupé à penser « je marche dans la rue à Seattle » pour vraiment profiter de la ville. Je suis passé au magasin de disques Sub Pop situé en plein centre-ville. Sub Pop est un label de punk rock, qui eut la bonne idée de signer Nirvana et des tas d'autres bons groupes avant et après (dont un groupe français d'Angers, les fabuleux Thugs). J'entrai dans la boutique Sup Pop avec l'impression de pénétrer dans un lieu mythique mais en vrai il était situé au milieu d'autres échoppes à touristes donc je me demandai si c'était pas une sorte de « magasin de façade ». J'achetai quand même quelques 45 tours et une casquette Sub Pop, ce qui me fit l'effet d'être un touriste à Paris qui achète une tour Eiffel miniature sur les bords de Seine.

Revenu de Seattle, j'étais presque euphorique de ressentir pour la première fois de ma vie les effets du décalage horaire, me sentant alors comme un véritable reporter de presse, dans le feu de l'action, dans le flux de l'actu. N'étais-je pas professionnellement connecté avec tous ces journalistes, reporters de guerre, Florence Aubenas ou quoi ?? Bien sûr, je savais mon métier moins risqué que le leur, je n'allais pas comme eux sur le front, je ne prenais pas des risques insensés pour le seul devoir d'informer le grand public, mais comme eux, titulaire d'une carte de presse, je bénéficiais aussi du statut fiscal qui me permettait la déduction de 7 500 euros pour frais professionnels. Et surtout : comme eux, j'étais obligé de prendre l'avion pour mon travail. Je n'étais pas au bout de mes surprises.

Le lendemain de mon retour, Yves me prit à part dans le bureau pour me parler de la sortie imminente du nouvel album de Coal Chamber (une bande d'affreux jojos californiens) et me dit : « J'aimerais que la semaine prochaine, tu ailles à Los Angeles réaliser l'interview pour le sujet de couverture du nouveau numéro. » Appuyé contre la machine à café du bureau, les mains jointes dans le dos, j'écoutais en acquiesçant mais en pensant à ces personnes qui gagnent plusieurs fois au Loto dans leur existence. Je ne m'étais jamais imaginé que ça tomberait sur moi. Quel était le budget de ce blockbuster dont on venait de me donner le rôle principal ? D'où venait le projet de me payer *deux* allers-retours sur le continent américain en dix jours ? Au diable mon empreinte carbone, d'ailleurs à l'époque ça n'existait pas, on pensait que le kérosène s'évaporait dans l'espace et que ça n'avait aucune influence sur rien.

Deux jours plus tard, je partis avec Carole, une des photographes de la rédaction, et deux journalistes du magazine *Hard Rock Magazine*. Moi qui n'avais jamais mis le pied de ma vie aux États-Unis en plus de vingt ans, voilà que je survolais le Groenland pour la deuxième fois en deux semaines. Certains vols à destination des États-Unis survolent le Groenland et on le voit d'en haut (je précise pour que vous compreniez pourquoi je parle du Groenland d'un seul coup). Douze heures plus tard nous atterrissions à l'aéroport de Los Angeles et je profitai du temps précieux qu'il fallait pour nous emmener à l'hôtel Parc Suite sur West Knoll Drive (dont je n'ai jamais oublié le nom ni l'adresse), pour me répéter environ 400 fois mentalement que j'étais à Los Angeles, comme je l'avais fait à Seattle une semaine plus tôt. En arrivant à l'hôtel, je fus persuadé d'une erreur de la réceptionniste quand elle m'attribua ce qui n'était rien d'autre qu'une suite avec un salon immense, une chambre et une cuisine. C'était pourtant bien la chambre qui m'avait été réservée, et je dus bien faire cinq minutes de trampoline sur mon lit pour appréhender cette réalité (et marquer mon territoire). Dix minutes plus tard je visitais la piscine de l'hôtel où je retrouvai Marc, le photographe de *Hard Rock Magazine*, qui était déjà en peignoir de bain blanc, car le bougre connaissait bien l'endroit et avait ses habitudes. Il était en train de manger une omelette avec du ketchup, ce qui éveilla ma curiosité. C'est peut-être un détail pour vous mais cette découverte culinaire a bouleversé mes petits-déjeuners pour le restant de mes jours. C'est aussi Marc qui me fit remarquer en mangeant ses œufs la présence de cinq Allemands au bord de la piscine qui n'étaient autre que les membres du groupe germanique Rammstein, en slip de bain. Rammstein est un groupe de metal de Berlin qui devint culte en 1997 avec son premier album, ainsi que l'un des très rares groupes à avoir obtenu une envergure internationale en chantant uniquement en allemand.

En écoutant leur musique, on a toujours l'impression que le chanteur vous donne des ordres. Le groupe est connu pour ses concerts à l'imagerie proche de *Mad Max* et aux effets pyrotechniques spectaculaires. L'image de ces cinq Allemands en slip de bain au bord de la piscine raviva chez moi des souvenirs enfouis de camping en Dordogne avec mes parents et de peaux à coups de soleil. J'ose espérer que ce n'est pas raciste de dire que les Allemands ont des peaux à coups de soleil. Surtout, j'étais logé au même endroit qu'un groupe du statut de Rammstein, et donc totalement halluciné par l'idée que la personne qui était en charge de leur logement à Los Angeles avait eu le même souci de satisfaction que celle en charge de me loger. Je dus passer quatre jours sous le soleil de Californie pour seulement une heure d'interview avec les membres de Coal Chamber. Cette rencontre eut lieu sous un soleil de plomb, au début de laquelle le chanteur dégaina son sac d'herbe et commença à se rouler un gros joint et, sans me soucier de savoir si ça faisait professionnel ou pas, me vint l'idée de lui demander si je pouvais fumer dessus. Dez Fafara (c'est le nom du chanteur du groupe) s'était habillé « clouté ». En plus de retenir toute la chaleur du soleil, ses vêtements en cuir noir devaient peser un poids de voleur du fait de la présence de nombreux accessoires en métal dessus. C'était un mélange d'homme et de voiture et à cause de la canicule, c'est la première fois que j'eus de la compassion pour un gothique. Alors que j'en étais encore à essayer de faire s'estomper l'effet des deux premières bouffées tirées sur son joint qui me donnaient l'impression que je venais de me faire percuter par une sorte de 38 tonnes mental (j'ignorais encore qu'ils fumaient les joints purs de ce côté-ci de l'Atlantique), j'eus la malencontreuse idée de baisser les yeux vers ses pieds et d'apercevoir ses chaussettes noires qui présentaient les motifs d'un skieur de profil avec un bonnet de ski, un bâton levé devant et un bâton baissé derrière. C'était un punk du futur, mais il avait acheté ses chaussettes à l'Intersport de Morzine. L'image du skieur sur la chaussette me fit partir en un fou rire et le chanteur vit que j'étais sur Pluton.

Sur les pantalons en général

Yves considérait Los Angeles comme une sorte de paradis sur terre, et il m'avait donné toutes les adresses de lieux à visiter en commençant par Tower Records sur Sunset Boulevard (le meilleur magasin de disques de la ville jusqu'à l'arrivée de Amoeba des années plus tard), Melrose Avenue, Pink's Hot Dogs... Et les *factory outlets*, ces gigantesques stocks de vêtements invendus. Marc et Olivier de *Hard Rock Magazine*, qui connaissaient bien la ville, m'y conduisirent donc les yeux fermés, en passant par des rues qui ne cessèrent jamais de me faire penser aux décors où se déroule l'action de *Starsky et Hutch*. Nous arrivâmes dans l'immense boutique, où tous les habits étaient en fouillis un peu comme à Emmaüs.

Auprès des autres je fis semblant de m'étonner de la mine de bonnes affaires que proposait le magasin pour ne pas leur donner l'impression de les avoir fait venir pour rien. Ça devait être la troisième ou quatrième fois de ma vie que j'achetais des habits de mon propre chef. Je n'en achetais déjà pas en France, alors comment savoir les critères selon lesquels m'en acheter aux États-Unis ? À part un jean parfaitement rétro avec une coupe qui pouvait faire penser aux pantalons des personnages de *Huit, ça suffit !* que j'allais garder et chérir longtemps, je jetai mon dévolu sur un tee-shirt de skate-board de marque Van's de taille XXL, car je trouvais intéressant d'adopter un peu le côté ample et baggy de la mode vestimentaire hip hop qui avait investi celle du rock. Malheureusement, ce qui m'avait semblé relever mon côté hip hop freestyle dans la cabine d'essayage perdit beaucoup de son charme quand j'enfilai le tee-shirt de nouveau le soir même dans ma chambre d'hôtel. J'avais l'impression d'avoir volé un tee-shirt à un bûcheron canadien fan de skate. Le retour du rock m'avait également mis en tête qu'il y avait aussi un retour des pantalons pattes d'éléphant, et j'en trouvai un superbe en jean. Quand je revins de Los Angeles, je mis mon pantalon et tout se passa normalement jusqu'à ce que j'assiste à une session photo du groupe de metal français Pleymo, dont s'occupait également mon pote Laurent chez Sony. Le problème de Laurent est qu'il dit ce qu'il pense, donc c'est marrant, mais il faut bien avouer que parfois, ça peut être aussi un peu énervant. Là, on était en pleine session photo de Pleymo avec leurs habits neufs (et *eux* je peux vous dire que c'était pas de la sous-marque), quand Laurent, me voyant de dos, s'écria d'un seul coup : « Hey c'est bizarre, ton pantalon il a pas de poches à l'arrière ! Heyyyy ! Regardez les gars !!! Son pantalon il a pas de poches à l'arrière !!! » Ce qui ne m'avait pas véritablement frappé. J'avais dû le remarquer en voulant ranger mon portefeuille car ça donnait plutôt l'impression de me caresser les fesses à cause de l'absence de poches, mais sans y prêter beaucoup d'attention, j'avais dû simplement ranger le portefeuille dans ma veste ou dans mon sac. Là, d'un seul coup, alors que le photographe était en train de faire ses photos et que Laurent et moi on attendait, toute l'attention se focalisa sur mon pantalon. Laurent n'avait pas véritablement posé de question, mais je pris quand même la peine de répondre et de dire que « l'absence de poche ne me dérangeait pas » mais je vis Laurent commencer à rire et je voyais bien qu'il ne riait pas pour se moquer de moi, il riait parce qu'il était réellement surpris que je n'ai pas de poches à l'arrière de mon pantalon, et du coup ça commençait à me faire rire aussi de me poser cette question : est-ce que c'était si rare, des jeans sans poche à l'arrière ? Et Laurent m'assura qu'il n'avait jamais vu ça. Comme j'étais le journaliste, que je venais de les interviewer et que je devais faire un article sur eux, les gars de Pleymo n'avaient jusque-là pas trop osé rebondir sur la question de mon pantalon, mais vu qu'ils commencèrent à me voir rire, ils durent se dire « allez c'est bon on peut rigoler aussi », et l'un d'eux dit « C'est vrai qu'il est chelou ton pantalon », et aux alentours de ce moment je commençai vraiment à trouver que les gens dans la vie peuvent se faire un monde de pas grand-chose. Quelques secondes plus tard, Laurent ne cria pas « Eurêka ! » mais c'est exactement le ton sur lequel il dit la phrase suivante : « Mais c'est un pantalon de fille !!! » Cette hypothèse ne m'avait même pas effleuré l'esprit. Et Laurent éclata de rire encore une fois. Le photographe qui s'y connaissait apparemment en noms de coupes de jeans dit alors : « C'est un pantalon taille basse. » Ainsi découvris-je qu'il existait une taille haute et une taille basse pour les jeans. Et c'est vrai que ce jean faisait un peu penser aux pantalons que les play-mates portaient lascivement seins nus en couverture de *Lui*.

Je ne savais pas m'habiller. Disons que je savais comment et dans quel ordre enfiler un pantalon et un slip, mais pour ce qui est d'assortir les couleurs et de choisir les matières, j'étais encore totalement novice (j'ai l'impression de l'être encore aujourd'hui). J'étais allé à Toulouse passer un week-end et j'avais trouvé un pantalon en velours noir, premier habit que j'ai jamais acheté qui taillait « *fit* » comme on dit en anglais, et je peux vous dire qu'il collait bien à ma peau, comme ceux des Strokes. Pourtant je fis curieusement l'erreur inverse de celle que j'avais commise avec les habits baggy « de skateur » que j'avais achetés trop grand deux ans plus tôt. Le pantalon Strokes, je ne m'en étais pas rendu compte, taillait trop petit. Cette fois-ci, je n'avais pas compris qu'il existait une coupe spécifiquement « *fit* » et je pensais tout simplement que les Strokes mettaient des pantalons trop petits pour eux. En tout cas, le pantalon me moulait bien, ça je vous le garantis.

Un soir je revins chez moi après une journée de travail en portant ce velours, c'était la période où j'hébergeais mon pote Damien et lui seul fut le témoin de cette scène. Il y avait chez moi deux gros fauteuils bien confortables (dont les quatre coussins additionnés composaient le matelas de Damien pour dormir dans le salon) dans lesquels je m'affalais toujours aussitôt arrivé. Ce soir-là (et, s'il me moulait, je redis encore que je n'avais pas l'impression qu'il me serrait tant que ça) quand je m'assis dans le fauteuil, le pantalon éclata. Sous la pression. Il n'y a pas d'autre mot. Il était neuf de quatre jours à peine, et pourtant il craqua en plusieurs endroits en même temps (mollets, cuisses et entrejambe), comme s'il avait cédé sous le coup de l'usure. C'est tout juste si je ne retrouvai pas un bout de tissu pendouillant au bout du nez de Damien juste après l'explosion du pantalon tant j'ai le souvenir qu'elle fut virulente. Naïvement j'allai déposer le pantalon chez un repriseur dans ma rue. Je ne m'attendais pas à sa réaction mais je me fis presque engueuler de lui demander autant de travail sur un pantalon, il fallait presque refabriquer un pantalon tant celui-ci donnait l'impression que j'avais marché sur une mine antipersonnel. En conséquence de quoi je ne suis jamais retourné chercher le pantalon réparé par peur de me refaire engueuler. Toutes les années qui ont suivi, j'ai changé de trottoir avant de passer devant chez le repriseur, craignant qu'il ne sorte et ne me crie dessus parce que je n'étais pas allé le chercher.

Bref, pendant longtemps je me suis acheté des habits en pensant qu'ils étaient seyants et me mettraient en valeur, mais dès que je les portais, on se moquait plus ou moins de moi, alors je changeais mon fusil d'épaule et décidais de continuer à les mettre mais dans l'unique but d'amuser la galerie. Tel est le cheminement psychologique qui me faisait enfiler de nouveaux vêtements : d'abord parce que je pensais qu'ils me rendraient beau, et finalement pour faire rigoler les copains.

Envie de bazarder des CD par la fenêtre

J'habitais rue de Montreuil à Paris, et beaucoup de mes potes de Tours ou d'ailleurs venaient dormir chez moi, je prêtais d'ailleurs les clés un peu à n'importe qui. Un jour, de retour des États-Unis, en rentrant dans mon salon, je trouvai un gars qui dormait là, je ne savais pas qui c'était et il était tout désolé, c'est une copine de Tours à qui j'avais passé la clé et qui la lui avait passée à son tour. Il n'était pas rare que mes potes du théâtre de rue squattent mon appartement rue de Montreuil. Rodolphe dormait très souvent à la maison, ainsi que Fred. Fred Tousch est un comédien qui me fait énormément rire depuis les premières fois où je l'ai vu sur scène en 1996, et à cette époque il passait beaucoup de temps à Paris car il jouait dans le spectacle d'Édouard Baer et de François Rollin au théâtre du Rond-Point. Du coup il dormait chez moi, me racontait l'avancée du travail sur ses créations, et plus il me parlait de sa vie, plus ça me donnait envie. Fred avait grandi en Lorraine et (peut-être) pour cette raison il était particulièrement fan de metal (dans les deux sens du terme, il n'arrêtait pas de me parler du groupe de metal allemand Rammstein qu'il adorait car sa famille avait travaillé dans les fonderies). Comme j'avais toujours un gros carton plein de CD en libre-service dans mon salon, je proposai à Fred de repartir avec une trentaine de CD de metal et de hardcore, genres dont je recevais beaucoup trop de disques au magazine, et dont je pensais que c'était « suffisamment proche de Rammstein » pour lui faire plaisir. C'était autant pour faire de la place dans le carton que pour lui faire plaisir car en réalité, rien ne ressemblait vraiment à Rammstein, mais un matin, Fred monta dans sa grosse Volvo garée devant chez moi, les bras chargés de CD en me remerciant d'avoir tant de choses à écouter pour les heures de route qui l'attendaient. Un mois plus tard, il repassa chez moi et me raconta qu'une semaine plus tôt il était sur la route avec Arnaud Aymard (un autre génial clown tourangeau et acolyte de Fred), et qu'ils s'étaient mis en tête d'écouter les disques que j'avais donnés à

192

Fred. Chaque CD leur avait tellement semblé insupportable à écouter qu'ils les avaient balancés sur la route par la fenêtre de la voiture les uns après les autres. À chaque fois ils arrêtaient le CD au bout de deux secondes en disant « C'est nul ça, jette ! » et ils balançaient le CD sur la route ! Fred me raconta ça comme une énorme blague qui avait bien dû les tenir une heure entière dans la voiture, Arnaud et lui avaient dû se poiler comme des cons à balancer tous les CD sur l'autoroute, c'est pas écologique mais c'est drôle. Trois ans plus tôt je me serais demandé s'ils n'avaient pas perdu la tête à jeter des disques sur la route (!), mais là, clairement, je regrettais de ne pas avoir vécu ce moment avec eux entre deux dates de spectacle. Moi aussi je voulais balancer des CD par la fenêtre d'une voiture.

Moments de solitude en interview

Les lois de la promotion sont ainsi faites que plus un artiste devient connu, moins il a besoin d'être promu, donc logiquement, moins il a besoin de donner des interviews ou moins elles sont longues lorsqu'il en donne. Comme nous faisions très peu appel à des pigistes extérieurs, ça nous obligeait à faire beaucoup plus d'interviews qu'un journaliste, même très curieux, n'en serait capable. Les mois où nous cumulions la sortie d'un numéro normal avec un hors-série, nous pouvions nous retrouver à faire quarante ou cinquante interviews (j'exagère un peu mais j'ai peur que des journalistes d'aujourd'hui ne me lisent et ne se disent que ce n'est rien du tout cinquante interviews dans le mois). Bref, je suis en train de trouver une excuse pour justifier le fait que je ne faisais parfois que survoler la carrière de mes interlocuteurs, mais de toute façon, il y a prescription.

Parfois, je suis dans mon canapé perdu dans mes pensées et d'un coup je suis transpercé par ce frisson de honte au seul souvenir d'un moment où j'ai dit ou fait n'importe quoi. La position de journaliste m'en a donné de nombreuses occasions. Un soir, je terminais ma journée par une interview de Moby qui venait tout juste de sortir son album *Play*. J'avais bien aimé ce disque dont il a vendu des millions d'exemplaires après (en tout cas au moins des milliers) et le jour de l'inter-view j'avoue que je n'avais pas eu beaucoup le temps de potasser le sujet, au sens de « potasser-potasser ». Pour son album, Moby était allé déterrer des enregistre-ments qui avaient été faits au début du XXe siècle par le musicologue Alan Lomax, donc ça faisait déjà un sujet de conversation un peu concret pour l'interview, mais j'avais préparé une question sur un morceau qu'il avait fait pour la bande originale d'un film de James Bond, quoiqu'en fait non je n'avais pas véritablement préparé de question, j'avais juste noté qu'il avait enregis-tré sa version du thème de *James Bond*, mais je n'avais pas vraiment rédigé de question après. J'avais juste écrit

« James Bond ? » sur mes notes, comme si c'était une question en soi. J'imagine que je devais compter sur la loquacité de mon interlocuteur pendant l'interview pour m'inspirer une question bien sentie, mais je finis donc par lui demander : « Tu as enregistré ta propre version du générique de *James Bond* ? » juste après l'histoire d'Alan Lomax (que je connaissais surtout de nom et à ce stade de la conversation il me semblait que Moby l'avait bien compris). Donc à cette question, assez mal formulée je le reconnais, Moby répondit juste « Oui ». Ça sonnait comme le « oui » d'un gars qui commence un peu à en avoir marre, mais pour ne pas me coucher complètement, je fis quand même une petite mimique qui voulait un peu dire « tu charries Moby », une petite moue qui lui reprochait de faire semblant de pas voir où je voulais en venir : qu'il me fasse une bonne réponse bien longue à cette question pas posée, qu'il me donne un peu de matière pour rembourrer mon article. Mais nul rembourrage. J'enchaînai donc sur la suivante et j'avoue que si la précédente n'était pas très bien préparée, la nouvelle ne l'était pas davantage. Comme vous savez que j'étais véritablement dans le flux de l'actu, avec mon cœur qui battait au pouls de l'info, j'avais remarqué que le livret du CD de Moby contenait des essais qu'il avait écrits (plus ou moins sur le véganisme). De là à vous dire que je les avais lus, quand même pas. Parce qu'en plus j'avais déjà eu deux interviews à mal préparer juste avant, donc je n'avais pas eu le temps non plus. Alors, ignorant tout du précipice de malaise qui m'attendait deux mètres plus loin dans la conversation, je demandai à Moby : « Dans tes albums tu écris aussi des essais, est-ce que c'est important pour toi d'utiliser l'objet disque comme un vecteur pour faire passer tes idées ? » Il m'apparaît aujourd'hui que la question ne voulait rien dire et que « oui, c'était important pour lui d'utiliser l'objet disque pour faire passer ses idées », la preuve, c'est qu'il le faisait. C'est comme s'il avait mis un pull bleu et que je lui avais demandé : « Ma question va te sembler bête mais tu aimes bien les pulls bleus ? » Mais bon, j'avais quand même réussi à placer le mot « vecteur » dans ma question, à ce stade c'est la meilleure chose que j'avais à lui donner pour lui prouver que j'étais pas totalement un idiot et j'espérais que ça allait suffisamment ajouter un côté bouillon de cultures à notre conversation pour lui donner envie de continuer. Encore une fois j'espérais que mon interlocuteur se lancerait malgré tout dans une belle et longue tirade (genre) sur la liberté d'expression. Au lieu de quoi, Moby me demanda en retour : « Tu les as lus, ces essais ? » « On est où là ? Qui pose les questions à la base ? » pensai-je. Mais ma tête, dont la forme était une incarnation de la penauderie, fit bouger ma bouche pour murmurer un « Non » dont la fierté n'était pas le fort. Et là, vous me croyez ou vous ne me croyez pas, mais Moby se paya *le toupet* de me dire : « Si j'étais journaliste et que je devais interviewer un artiste qui écrit des essais dans ses disques, avant de lui parler des essais, je les lirais. » Comme je ne savais pas quel son émettre pour commencer un début de bafouillement de réponse, je dus finalement porter mon choix sur un son qui ressemblait à

« gné ». Je n'ai pas précisé que les essais écrits par Moby étaient aussi de bons pavés de textes. Mais comme je ne savais pas dire « pavé » en anglais, je décidai de ne rien dire du tout et je terminai l'interview avec l'impression d'être enfoncé dans une fosse septique de la honte, avec juste ma tête qui aurait dépassé pour poser les questions à Moby. À la fin de l'interview, la tension qui s'était installée se dissipa dès que j'arrêtai le magnéto, et Moby, qui ralluma son téléphone, me demanda quels artistes j'avais eu l'occasion d'interviewer ces derniers temps. Quand je lui dis que rien que dans la journée il était le troisième, Moby, sincère, me lâcha aussitôt : « OK, au temps pour moi, je comprends que tu n'aies pas du tout eu le temps de lire mes essais. » *Aaaaah bah le voilààà mon champion !* Ça c'est mon Moby. Moby j'ai toujours dit : « C'est un gars, il faut le connaître, mais il est sympa. » Me remémorer ça quinze ans plus tard me fait penser qu'il faudra vraiment que je les lise un jour, ces fameux essais.

D'autres déjeuners

Comme beaucoup de magazines, *Rock Sound* vivait autant (sinon plus) grâce à la publicité qu'à ses ventes en kiosque. Si un label ou une maison de disques sortait l'album d'un groupe important pour nos lecteurs,

Yves arrangeait un déjeuner en amont avec le responsable marketing pour se faire proposer un partenariat, lequel impliquait que l'actualité d'un artiste soit suivie sur plusieurs mois : sur plusieurs numéros pouvaient alors successivement apparaître la chronique de l'album, l'interview, la chronique du concert, un blind test avec le groupe, et parfois : la couv'. En « échange de bons procédés », la maison de disques achetait de l'espace publicitaire dans les pages du journal.

Il me fallut plusieurs semaines pour comprendre que tel était le fonctionnement du journal dans lequel je travaillais, ainsi que celui du groupe de presse, avant de réaliser quelques années plus tard que c'était le cas de la presse et des médias en général. Parfois, *Rock Sound* était partenaire d'un album qui ne trouvait pas son public, et si l'attaché de presse galérait à remplir les créneaux d'interviews pour lequel l'artiste se rendait disponible, il nous demandait de l'aider et de revenir interviewer l'artiste. Il m'est arrivé d'interviewer trois fois le même groupe en six mois et si dès la deuxième fois il y avait toujours cette sensation de déjà-vu, la troisième donnait quasiment l'impression de répéter pour une pièce de théâtre. Quand l'artiste me voyait arriver pour l'interviewer une troisième fois, il devait vraiment se dire : « Mais qu'est-ce qu'il me veut encore, lui ? » Pour changer aussi, l'attaché de presse proposait souvent de ne pas seulement rencontrer le « leader », mais les autres membres du groupe. Ça semble évident quand on travaille dans un magazine de musique de rencontrer tous les musiciens d'un groupe, mais croyez-moi ça implique aussi d'interviewer par exemple les batteurs et on n'a pas toujours de questions à poser à un batteur. J'avais rencontré un journaliste qui travaillait à *Batteur Magazine* et je m'étais dit que jamais je n'aurais pu travailler dans un tel magazine tant j'aurais eu du mal à renouveler mon stock de questions. Cela dit j'ai aussi rencontré pendant des vacances le rédacteur en chef d'un magazine d'aquariophilie et je m'étais demandé comment il décidait que tel poisson ou tel modèle d'aquarium méritait la couverture plutôt que tel autre et s'il mettait des posters de mérou dans le journal.

La plupart de ces partenariats se calaient à grand renfort de « déj ». Combien d'assiettes de couteaux à l'ail subventionnées par Universal ai-je ingurgitées ? Combien d'aubergines farcies payées par Virgin ? de linguine offertes par Polydor ? Et que ne profitai-je des saint-honoré ! Le « déj » avait cet avantage que c'était *toujours* la maison de disques qui payait. Je n'ai pas souvenir qu'il en fut jamais autrement, et parfois un peu ivre en sortant du restaurant, je me demandais si c'était totalement déontologique de se faire régaler aussi systématiquement par les maisons de disques à coups de repas ou de voyages. Mais je pense que je préférais faire l'autruche et me dire qu'Yves faisait parfaitement la part des choses. Si je savais pertinemment que dans la tête de l'attaché de presse, le déjeuner offert consistait (en partie) à acheter en nature du contenu rédactionnel, alors pour souligner qu'il n'y avait aucun rapport entre le déjeuner et les choses qui étaient censées y être discutées, je mettais un point d'honneur à choisir à chaque fois l'entrée et le plat de résistance les plus chers, et si on me l'avait fait remarquer je pense que j'aurais dit « Mais c'est le hasard, c'est précisément ce que j'ai envie de manger aujourd'hui ». Du plus loin que je me souvienne, chaque décision prise pendant « un déjeuner professionnel » dans ma vie aurait pu être réglée en un simple coup de téléphone. Chaque fois que j'ai relevé cela auprès de « gens du métier », on m'a toujours répondu « Oui mais le relationnel ça fait partie du truc, c'est important de se voir pour bien parler ». C'est vrai qu'il n'y a pas besoin d'être un génie pour comprendre que le relationnel entre deux personnes passe mieux avec une côte de bœuf au milieu. Y a-t-il des choses qui ne passent pas mieux avec une côte de bœuf ?

J'étais stupéfait au début du rythme auquel Yves et Pierre enchaînaient les déjeuners professionnels. Yves m'emmena bientôt régulièrement avec lui, car il m'avait annoncé qu'il avait le projet de monter la version française du magazine *Rolling Stone* et qu'à ce titre, il souhaitait tôt ou tard me déléguer la rédaction en chef du magazine, ce qui me sembla être une chose tellement incroyable que je n'avais même pas osé en rêver : devenir rédacteur en chef. Quand il me l'annonça, j'acceptai immédiatement et avec joie sa proposition. Sans toutefois me rendre compte que si je n'en avais jamais rêvé, c'est qu'au fond je n'en avais peut-être jamais eu envie.

L'Hôtel Costes

Les semaines qui suivirent mon arrivée à *Rock Sound* furent celles de l'arrivée des RTT en France, ce qui permettait à n'importe quel employé de poser deux jours de réduction de temps de travail. Dans le bureau de *Rock Sound*, la question fut assez vite réglée. Yves se lança dans un grand discours sur le statut déjà très favorisé des journalistes, sur la chance qu'on avait de travailler ici, qu'on n'allait pas commencer à compter les heures voyagées à l'étranger en heures de travail sinon on n'allait pas s'en sortir. À cause de ce discours, j'ai eu peur de poser la moindre journée de RTT tout le temps où j'étais journaliste, mais je trouvais qu'Yves n'avait pas tort, je n'étais encore qu'une nouvelle recrue au magazine, et j'avais presque peur qu'on me demande d'aller moins travailler. Les week-ends où je ne rentrais pas à Tours, si j'étais en retard pour rendre un article, plutôt que de travailler chez moi, il m'arrivait de passer au bureau le dimanche pour écrire au calme à la rédaction. Si je voulais écrire chez moi il fallait que je branche un lecteur de disquettes, car mon iMac refusait obstinément toutes les clés USB. Je suis probablement une des dernières personnes en France à avoir acheté un lecteur de disquettes à la Fnac, d'ailleurs quand je demandai au vendeur quels étaient les modèles disponibles, ma question nous transposa tellement à une autre époque que j'eus l'impression de lui demander l'adresse d'un bon puisatier. J'avais choisi un modèle de lecteur non pas de ceux qui fonctionnent à tous les coups, mais de ceux qui ne fonctionnent qu'une fois sur cinq. Si j'écrivais chez moi, je n'étais même pas sûr de pouvoir rapporter le texte à la rédaction et un jour je dus même prendre une photo de mon écran pour recopier le texte de la photo au bureau.

Il m'arrivait donc d'aller travailler au bureau le dimanche. J'y croisais parfois Yves. Ce dimanche-là j'étais venu à la rédaction pour rédiger un article tranquille. Une demi-heure plus tard je vis débarquer Yves qui était hyper content de me trouver là et je compris que je n'étais pas le seul à tromper mon ennui de la même façon le dimanche après-midi. Yves s'installa à son ordinateur en commençant à travailler derrière moi mais tout en continuant à tenir la conversation, et croyez-moi il en avait. Mais il avait aussi des idées derrière la tête. « Ça te dit d'aller manger une crêpe jambon fromage ? » Il devait être 18 heures, ce n'était pas incohérent. Mais une fois la crêpe engloutie Yves me souffla l'air de rien : « Ça te dirait qu'on aille se boire un café au Costes ? » Le Costes ! L'Hôtel Costes ! Que nous soyons amenés à nous y rendre pour réaliser l'interview d'un chanteur américain passait encore, bien qu'on m'y demandât à chaque fois à l'entrée la raison de ma venue, mais prendre l'initiative d'aller y boire un café me dépassait complètement. Combien allait-il coûter, ce café ? Je préférais masquer toutes les interrogations qui étaient miennes et répondis à Yves. Quand on arriva à l'Hôtel Costes (comme d'habitude dans ce genre d'endroits j'ai l'impression que quelqu'un

202

va venir me dire que je ne suis pas du tout censé me trouver là) je devais être en train de regarder mes mains et Yves demanda au gars à l'accueil une table pour boire un café. Je décidai de marcher lentement jusqu'à la table avec les mains dans les poches comme pour essayer de montrer que c'était un endroit où j'avais mes habitudes, mais rien à faire, même en posant mon sac à côté de notre table j'avais l'impression de jouer faux. À ce moment-là Yves me dit : « Avec un peu de chance on va peut-être voir les Red Hot ! » Je recollai instantanément les morceaux. Yves avait interviewé les Red Hot Chili Peppers deux semaines auparavant à Los Angeles, et ils jouaient le lendemain à Paris. Ils devaient avoir leurs habitudes dans un hôtel de ce genre, Yves le savait et ce n'était pas un hasard s'il avait voulu qu'on vienne ici. Yves adorait faire copain avec les vedettes. Celles avec lesquelles ça m'arrive de parler, je ne sais pas quoi leur dire après trente secondes. Et ça ne loupa pas : dix minutes plus tard je vis le visage d'Yves s'illuminer en faisant « heyyyyy » (qui depuis une vingtaine d'années maintenant est au top de la liste des sons qu'on fait avec sa bouche quand on est content de voir quelqu'un) et comme je levai la tête pour regarder dans la même direction que lui, je vis le chanteur des Red Hot Chili Peppers passer devant nous avec son sac, se dirigeant vers l'accueil. Il ne faisait pas de doute que le « heyyyy » était à l'attention d'Anthony Kiedis. Le gars ne s'est tout simplement pas rappelé d'Yves et le « heyyyyy » est passé à la trappe. Yves avait raté son approche et j'étais désolé pour lui d'avoir été spectateur de ça et qu'il le sache. Mais alors qu'il était en train de marmonner une excuse pour le chanteur, le voilà qui fit de nouveau « heyyy » mais en plus vif et plus souriant, suivi d'un « haaaaaa », et je vis le sympathique Stéphane Tardivel qui nous dit un grand bonjour en s'asseyant à notre table. C'était le responsable des Red Hot en France chez Warner. Le bassiste Flea nous salua, je le saluai, tout était normal, je saluai le bassiste des Red Hot Chili Peppers (alors que je faisais le brocoli y a pas si longtemps à Carrefour). Et voilà que le batteur Chad Smith, celui qui est le sosie officiel de Will Ferrell, passa devant nous, mais lorsqu'il vit Yves, il s'arrêta en faisant à son tour « heyyyyy ». Ça semblait être une maladie. Il s'assit avec nous alors que Tardivel rejoignit les autres membres du groupe à l'accueil. Yves décida d'engager la conversation. « *So !!! How have you been ?* » Le batteur des RHCP était fatigué, les gars arrivaient de l'aéroport. Chad répondit qu'il revenait de super vacances dans le sud de la France mais qu'il était un peu cuit par le vol. « *Really ???* » demanda Yves, apparemment hyper content que le gars ait passé ses vacances dans le sud de la France. Et apparemment en crainte d'être en rade d'autres sujets de conversation, il décida de relancer sur celui-ci. « *Where ? Where were you on vacation ?* » Le gars expliqua avoir pris des vacances d'abord à Cannes et Saint-Tropez, avant de bouger vers une ville dont il ne se souvenait plus le nom « … au bord d'un grand lac ». Et à ce moment précis il ne s'était pas écoulé cinq secondes mais le gars des Red Hot avait déjà la tête un peu ailleurs, il racontait que malgré les voyages il n'avait jamais réussi à s'adapter aux décalages horaires, mais Yves l'interrompit : « *Was it Annecy ?* » Le gars regarda Yves. Un blanc. Yves reprit : « *The lake ? Was it the lake of Annecy ? The lac d'Annecy ?* » Apparemment pas, le gars fit non de la tête, se rappelant à peine de quoi on parlait deux secondes plus tôt, repartant dans son histoire de décalages horaires. Mais Yves, qui connaissait bien le sud de la France, ne comptait pas en rester là. « *Was it the lac de Sainte-Croix ? Was it in the mountains ?* » Apparently no non plus. À ce moment, je fus obligé de me demander : « Si je veux prendre la parole, faut-il que je m'exprime sur les problèmes de décalage horaire en voyage ou que je tente de trouver d'autres noms de lacs ? » Je ne savais plus, si je choisissais la conversation de l'un j'avais peur de vexer l'autre, et comme ils n'étaient pas sur la même longueur d'onde, c'était à moi de trancher si je voulais qu'une des deux conversations continue. Je pouvais peut-être lancer un troisième sujet de conversation : « *Do you prefer biscuits or cake ?* » Mais ce n'était pas la peine car avec ses jumelles mentales depuis son hélicoptère psychologique, Yves était déjà en train de faire Yann Arthus-Bertrand et d'essayer de trouver les autres lacs du sud de la France. « *Was it more in the area of Montpellier ? Was it around the lac de Salagou ?* » C'était le *Jeu des mille francs*, sauf qu'il n'y avait rien à gagner si ce n'est une incommensurable gêne. Mais non, « *not Salagou* », et vraiment là le gars essayait de faire comprendre à Yves que ce n'était pas la peine de s'attarder

sur le nom du lac, que de toute façon il ne s'en sou-
viendrait pas. Stéphane Tardivel revint à notre table
avec les clés de la chambre du batteur et Yves devait en
être à se demander si pour le gars des Red Hot Chili
Peppers le Puy-de-Dôme comptait pour le sud de la
France, auquel cas il proposerait bien le lac Pavin *near
the ski station of Super-Besse*. Il invita Tardivel à rentrer
dans le jeu en disant « On cherche le nom d'un lac
dans le sud de la France » comme si l'autre était parti
aux toilettes pendant une partie de Trivial Pursuit.
Mais je trouvai qu'il n'était pas très honnête car c'était
quand même surtout lui qui cherchait le nom d'un lac
dans le sud de la France.

Fou de Weezer

La première année de mon installation à Paris, je
rentrais souvent à Tours pour voir mes potes le week-
end quand je pouvais. J'avais encore besoin de les voir,
je savais qu'ils passaient beaucoup de temps ensemble
sans moi donc j'étais un peu jaloux. Surtout que parfois quand je les appelais de chez moi à Paris ils étaient
en pleine fête, je trouvais qu'ils s'habituaient bien vite à
mon absence. Le week-end je squattais beaucoup chez
Chacha et Jérémy dans leur maison à La Riche, j'adorais l'idée de leur faire plaisir en leur rapportant des
tonnes de disques et de magazines gratuits. L'essentiel

de notre activité consistait à jouer au jeu vidéo de skate *Tony Hawk* en fumant des pétards et en écoutant Weezer. J'étais devenu dingo de Weezer, du niveau dingo de Queen et dingo de The Cult, niveau dingo de quand je deviens dingo d'un groupe. Et pendant plusieurs mois je n'ai quasiment écouté que les deux premiers albums de Weezer et les morceaux inédits de la même époque. Je dois les citer chacun parce que ce sont des chansons qui ont pris tellement de place dans ma vie à un moment que c'est comme si ça avait été des copains : « Suzanne », « Waiting On You », « Devotion ». Parmi les chansons de Weezer que Chacha m'avait fait découvrir, il y avait aussi « Mykel and Carli », qui était la face B de « Undone – The Sweater Song » et qu'il m'avait présenté comme un titre que Rivers Cuomo, le docteur, avait écrit en hommage aux deux responsables de leur fan-club qui étaient décédés avec leur sœur en revenant en voiture d'un concert de Weezer. L'histoire était tragique, et la chanson magnifique : le refrain « *Hear you me, Mykel, hear you me, Carli* » avait quelque chose de déchirant. Quelques mois plus tard, on apprit que cette chanson avait certes été composée par Rivers Cuomo en hommage aux deux filles, mais *avant* l'accident. C'est un titre qu'il avait composé pour les remercier de leur travail avec le groupe, et dont le refrain s'était retrouvé à avoir quelque chose de tristement prémonitoire. Quand nous apprîmes ceci avec Chacha, nous fûmes légèrement déçus. Nous préférions l'anecdote que nous nous étions inventée, dans laquelle la chanson avait été écrite pour des filles pas vivantes. Il y avait aussi et surtout le titre « I Just Threw Out the Love of My Dreams » qui faisait l'objet d'une véritable obsession dans toute notre bande de potes. C'est une chanson chantée par Rachel Haden, la fille du jazzman Charlie Haden (les maboules de jazz ont tilté). Rachel Haden était membre du groupe power pop That Dog (dont l'album *Retreat from the Sun* était un autre objet de vénération dans notre bande) et avait été invitée par Weezer à enregistrer ce titre (en deux prises si ma mémoire est bonne). Quand on arrive aux alentours de 2'04" du titre, il y a ces cinq secondes épiques où Rivers Cuomo chante les chœurs à la tierce avec la chanteuse, sur le pont vers le refrain final « *and I see him everyday* », sur le « *everyday* » on se disait que quelque chose n'allait pas, tellement c'était trop bien. La simple façon qu'il avait de reprendre le « *everydayyyy* » à la tierce, cette façon de chanter juste ce mot-là parlait de nos vies, de nos échecs sentimentaux, du moins on le croyait très fort. À un moment dès qu'on passait du temps avec Chacha, toutes les occasions étaient bonnes pour écouter « IJTOTLOMD ». Je ne dirai pas que nos vies s'étaient carrément polarisées autour de ce morceau, mais en fait si. Le point auquel je me suis mis à écouter ces deux albums de Weezer a fini par m'inquiéter moi-même, n'ayons pas peur d'utiliser le mot « névrose ». Il se passera plusieurs mois pendant lesquels je ne vais écouter que *Pinkerton*, le deuxième album de Weezer. *Pinkerton* contient dix titres qui ont été écrits par Rivers Cuomo après le succès commercial énorme de leur incroyable premier album. Le chanteur a tout arrêté, il a repris ses études incognito à Harvard, et subi une opération pour se faire raccourcir une jambe car une des deux était plus longue que l'autre, sans quoi ç'aurait été bizarre de se faire raccourcir une jambe volontairement (il a fait ça pour les égaliser). Ensuite il est tombé amoureux d'une fille et il a fait une dépression quand il a découvert qu'elle était lesbienne. Il a fini par faire ce disque qui est un album de ce qu'on pourrait appeler de la power pop tragique. C'était exactement ce qu'il me fallait pour sortir de ma dépression post-rupture avec Marie, surtout qu'après j'étais retombé amoureux d'une ex qui m'avait éconduit, j'étais donc dans le mood idéal pour tomber à fond dans *Pinkerton*. Certes peut-être un peu trop. Quand vous travaillez dans un magazine de musique où vous êtes censé émettre un avis sur les nouveautés tous les mois, il est normal que vos confrères vous regardent avec circonspection si vous n'écoutez que les deux mêmes albums en boucle, sortis cinq ans plus tôt qui plus est. Weezer n'avait plus donné de nouvelles depuis quatre ans, je guettais tous les jours leur site Internet pour être sûr de ne rater aucune éventuelle nouvelle quant à leur retour afin d'être l'un des premiers à les interviewer. Mais mon bureau donnait direct sur celui d'Yves, qui commençait à se fatiguer de ma fixette sur Weezer. Et un après-midi, alors que je rafraîchissais la page d'accueil de leur site pour la énième fois, je sentis la main d'Yves sur mon épaule, son regard inquiet se posa dans le mien et il me dit : « Thomas, à ce niveau c'est pathologique. » Je n'aurais pas été jusqu'à dire ça à l'époque mais aujourd'hui je me rends compte qu'il n'avait pas complètement tort, sinon qu'il avait tout à fait raison.

Un jour je reçus un appel de Gilles Gailliot, l'attaché de presse hyper sympa de Polydor qui m'avait emmené aux États-Unis la première fois quand j'étais parti à Seattle, et avec qui j'étais également parti tout péto-chard à Vancouver, car trois jours après le crash du Concorde en 2000, pour y interviewer Papa Roach. D'ailleurs, je ne sais pas pourquoi je me souviens de ça, mais je me rappelle très bien qu'après l'interview un pigeon m'avait chié sur l'épaule. On s'entendait bien avec Gilles. Un jour donc il m'appela en disant qu'un coursier venait de partir à mon attention avec un CD 5 titres qui allait me faire « très très plaisir », et je compris immédiatement qu'il m'envoyait des mor-ceaux du troisième album de Weezer que j'attendais depuis si longtemps. C'est exactement le genre de moment qui est la raison pour laquelle je voulais faire ce métier : être le premier à recevoir en avant-avant-première les cinq morceaux sur un CD gravé de mon groupe préféré. Le groupe était encore en train de les terminer quelques jours avant en studio, et je faisais probablement partie des premiers au monde à les écou-ter. Quelques jours plus tard, je partis à Los Angeles avec Yves qui mit un point d'honneur à me faire visiter ses endroits préférés de la ville. Le lendemain après-midi, nous eûmes rendez-vous avec Weezer dans un *diner* de Santa Monica, j'allais enfin parler avec la voix que j'écoutais le plus chanter depuis trois ans. Hélas j'étais tellement plein de trac, et le groupe tellement en retard, que je n'eus d'autre choix que de commencer à commander des bières les unes après les autres pour patienter, car je me souviens être allé au bar dire la phrase «*Can I have another beer please ?*» à plusieurs reprises. Oui, à la réflexion, je n'eus vraiment aucun autre choix. Quand le groupe arriva enfin, j'étais entre pompette et pimpant, et j'avais les mains vaguement moites. En l'espace de quelques secondes, le groupe comprit que j'étais leur dévoué serviteur. On s'installa à une table avec Rivers Cuomo pendant environ une heure, et je n'ai pas souvenir qu'il m'ait dit plus de trente phrases pendant toute l'interview. Certaines d'entre elles étaient espacées de silences de vingt secondes. À ses débuts, Rivers Cuomo était tout sauf la personne la plus expansive du monde, il semblait même presque asocial. Il faut dire qu'aucune de mes questions ne creusait vraiment le sujet et chacune consistait à lui montrer combien j'étais fan. On dit toujours qu'il ne faut pas rencontrer ses idoles. Ce n'est pas que je fus déçu par ma rencontre avec Rivers Cuomo mais plutôt par mon incapacité à la rendre intéressante pour lui. Après l'interview, Yves, qui était aussi photographe, réalisa une session photo avec le groupe où Rivers était porté par les trois autres en hommage à la célèbre photo de Brian Wilson porté par les autres Beach Boys. Deux mois plus tard, Frank revint du Japon où il avait acheté des concerts pirates de Weezer en CD, et Yves et moi découvrîmes que ladite photo (qui avait été utilisée dans *Rock Sound* sur une double page) avait été volée pour servir de pochette à l'un de ces disques achetés à Tokyo, ce qui me donna l'impression d'être entré dans l'histoire du groupe, juste parce que je pouvais dire « j'étais là quand la photo a été prise ».

Premières parties

Cela faisait trois ans que j'étais journaliste et souvent, si je me retrouvais à raconter mon métier à quelqu'un, les gens faisaient un lien avec le film *Almost Famous* de Cameron Crowe sorti quelques années plus tôt, dans lequel le réalisateur raconte ses jeunes années de journaliste de rock à *Rolling Stone*, formé notamment par Lester Bangs, « le pape américain de la critique musicale », et partant en tournée avec les plus grands groupes de rock. J'aimais dire qu'effectivement ma vie se passait un peu comme dans le film, sauf qu'on n'était plus dans les années 1970, que la presse musicale avait passé son heure de gloire, que les disques ne se vendaient plus comme des petits pains, qu'après avoir encaissé les graveurs de CD, les maisons de disques allaient devoir encaisser Napster, et que les journalistes ne partaient plus vraiment en tournée avec les groupes comme dans le film. Mon métier consistait à passer beaucoup de demi-heures avec beaucoup de musiciens anglo-saxons dans des chambres d'hôtel. Un jour pourtant, le label Naïve comprit que j'avais adoré les premiers maxis du groupe anglais Serafin dont ils s'occupaient, j'étais dithyrambique à leur sujet alors qu'en réalité j'étais surtout tombé fan de leur morceau « No Happy » que j'ai réécouté récemment et qui est toujours super mais qui fait tellement Nirvana que je me demande comment ce n'était pas le premier truc qui me sautait aux oreilles à l'époque. J'aimais bien leur album, mais je préférais quand même surtout ce morceau. Alors qu'il montait une mini-tournée française du groupe, le label m'invita à partir en tournée avec eux pour deux concerts et deux nuits que j'allais passer dans le bus, et c'est l'expérience la plus proche de celle du journaliste de rock racontée par Cameron Crowe dans son film que j'ai pu vivre. Après le concert de Clermont-Ferrand, le bus nous emmenait vers Toulouse et on était à l'arrière en train de boire des bières quand tout à coup le guitariste s'écria « Eh, on pourrait faire un Trivial Pursuit ! » Le Trivial Pursuit est un jeu qui n'existait pas dans les années 1970 donc c'est normal si le journaliste n'y joue pas avec le groupe dans son film, dans mon souvenir il n'y a même aucune scène où ils jouent à des jeux de société. C'était le truc le moins « groupe de rock en tournée » que j'avais imaginé qu'on me propose, mais du coup on se retrouva à se poser des questions Divertissement et Sports et loisirs sur les banquettes du tourbus. Je faisais équipe avec l'un des guitaristes et à un moment le chanteur nous posa une question sur un homme politique polonais (c'était pour un camembert jaune) et je ne sais d'où ni comment, mais me revint à ce moment-là le nom du seul homme politique polonais que je pouvais me rappeler, et dont parlaient souvent Jean-Claude Narcy et Yves Mourousi quand j'étais petit aux infos : Lech Walesa. Encore aujourd'hui, je ne sais pas bien ce qu'a fait ce monsieur mais je me souviens qu'il était polonais (et aussi qu'il avait une moustache) et qu'il faisait de la politique. Le chanteur de Serafin fut proprement sonné que je connaisse la réponse, et j'avoue que moi aussi. Je fus surtout fier d'impressionner le chanteur d'un groupe dont j'étais fan ! Fan d'un seul titre certes, mais quand même ! Il me regarda vraiment avec une tête genre « il est calé ce p'tit gars-là ». Il n'en revenait pas, et je n'en revenais pas qu'il n'en revienne pas. La tournée du groupe se terminait à la Maroquinerie à Paris, et le chanteur avait fini par bien m'aimer et m'avait proposé que je fasse leur première partie pour cette date car je leur avais parlé de mon spectacle de rue. Depuis peu de temps, j'avais en effet créé un spectacle en solo qui s'appelait *Boutros le Mage*, un hypnotiseur de cabaret foireux que j'avais joué une vingtaine de fois, et souvent à l'occasion de dates avec Freddy Coudboul. Je fis donc une prestation de vingt minutes avant le concert de Serafin qui, dois-je dire, fit bien marrer les gens (pas le concert mais ma prestation). Je trouvais absolument incroyable de me retrouver à faire la première partie d'un groupe anglais. Des années plus tard, c'est Spoon (le meilleur groupe du monde) qui m'a proposé de faire un stand up en première partie. C'était aussi à la Maroquinerie et je suis extrêmement fier de pouvoir dire que « j'ai fait la première partie de Spoon une fois dans ma vie ». Mais c'est avec Serafin que je montais pour la première fois sur une scène où j'avais déjà vu plein de groupes. J'entrais pour la première fois en tant qu'artiste dans les loges de la salle, on m'offrait les bières et les privilèges des artistes dont je n'avais jusque-là bénéficié que dans le cadre du théâtre de rue, mais à grand renfort de nuits chez l'habitant.

Un jour, à la machine à café, Yves me prit entre quatre yeux en me disant « Tom, t'es plus du tout dedans ». En tant que journaliste à qui il prévoyait d'attribuer la rédaction en chef du magazine, il ne me trouvait pas assez concentré sur l'objectif. « Tom, t'écoutes plus du tout de metal ! T'as même pas écouté le dernier Ill Nino !! » J'avais le seul métier possible dans lequel un patron peut reprocher à son employé ne pas écouter assez de metal. Mais il avait raison, je n'avais pas du tout écouté l'album de Ill Nino, un groupe avec un guitariste qui portait un sac à dos sur scène pour, disait-il, ne pas avoir de problèmes de dos. J'avais trouvé ça tellement absurde quand l'attaché de presse me l'avait dit que je n'avais pas réussi à mettre le disque sur la platine (alors qu'objectivement le groupe avait sûrement tout pour plaire à nos lecteurs). Je ne pouvais alors pas en vouloir à Yves de se demander si c'était le bon choix de me déléguer la rédaction en chef du magazine. Je commençais à avoir souvent des dates avec Rodolphe et je partais plus tôt le vendredi pour aller jouer Freddy Coudboul. La réalité est

215

que pour quelqu'un qui n'aime pas travailler, je travaillais quand même énormément.

Rédacteur en chef

Yves finit par envoyer un courrier officiel à toutes les maisons de disques pour leur annoncer qu'il lançait *Rolling Stone* en France et que le journaliste Thomas Vandenberghe reprenait son poste, alors tel Rastignac à la fin du *Père Goriot* (de Balzac bien sûr) je n'avais plus qu'à dire « À nous deux Paris », et obtenir le poste [1]. Devenir rédacteur en chef d'un magazine que je lisais encore passionnément trois ans auparavant me donna l'impression d'être arrivé au sommet de mon ascension professionnelle. Une des raisons pour lesquelles il m'avait été impossible de refuser ce poste (ce qui ne m'était même pas venu à l'esprit) est que j'aimais trop entendre la phrase : « Rédacteur en chef à 24 ans ??? Ça cartonne pour toi !!! » C'était beaucoup plus grisant d'entendre cette phrase que ça ne l'était de devenir rédacteur en chef en réalité. J'adorais qu'on me demande les études que j'avais faites. Répondre que je ne n'avais fait « aucune étude ! » me procurait une fierté indicible.

---

1. Pour cette phrase, j'avoue en toute honnêteté avoir dû aller vérifier le nom du personnage de Balzac car au début j'avais écrit Ravachol puis ensuite Ravaillac avant de me rappeler Rastignac.

« Des études ? Pourquoi des études ? » Il n'est même pas impossible que j'y aie parfois carrément ajouté un petit froncement de sourcils d'incompréhension. J'avais l'impression que ne pas avoir fait d'études donnait raison à chacune des décisions que j'avais prises jusqu'ici, et ça donnait à mon ego le sentiment qu'on le mettait dans un bon lit douillet, que je venais lui mettre des petites couvertures et des édredons en plus pour le tenir bien au chaud, et lui apporter un chocolat. Yves avait déménagé au quatrième étage pour investir ses nouveaux locaux de *Rolling Stone*, et j'avais déménagé mes affaires de mon bureau vers le sien qui était juste derrière. C'est le déménagement le plus court que j'eus à faire de toute ma vie puisque je n'avais qu'à me retourner sur ma chaise pour poser mes affaires sur l'ancien bureau d'Yves. Telle était la proximité qui avait cours dans les locaux de la rue Rougemont. J'étais devenu rédacteur en chef d'un magazine de musique et il me semblait que j'avais atteint l'apex professionnel d'un fan de musique, je n'allais plus seulement recevoir des disques de metal gratuits mais tous les disques gratuits ! Dans la rédaction, j'étais devenu celui qui décidait quel journaliste allait partir ou interviewer quel groupe ! Moi aussi j'allais enfin pouvoir dire « Olivier tu pars à Los Angeles la semaine prochaine ! » en ayant l'impression d'être Christian Morin dans *La Roue de la fortune*. Et en même temps, jusque-là *Rock Sound* était le magazine du groupe qui se vendait le mieux, et il ne me fallut pas longtemps pour prendre conscience que c'était à moi qu'incombaient désormais la vitalité du magazine et la santé de ses ventes, chose à laquelle je n'avais pas vraiment réfléchi avant. C'est la première fois de ma vie qu'on me confiait des responsabilités, première fois que j'avais entre les mains l'équilibre financier de quelque chose, et je n'étais pas habitué à devoir gérer des choses importantes.

Illusions perdues

Dès que la nouvelle de mon arrivée en *rédac-chef* du magazine fut officialisée, les attachés de presse et maisons de disques commencèrent à me contacter pour *caler des dejs*. Tous savaient que j'étais devenu le contact officiel à *Rock Sound* avec qui tenter de se faire de la place dans nos pages pour leurs artistes. Quand Gilles, l'attaché de presse français du label Polydor, apprit la nouvelle, sachant le fan que j'étais, il m'invita donc à un déjeuner dont le thème était « Alors on se la fait cette couverture Weezer ? » Dans ma tête c'était clair que je voulais la faire, mais je n'avais pas voulu le lui dire dès le début du repas. Alors, quand au fromage il finit par me demander si j'allais y aller ou non sur cette couverture Weezer, je dus faire semblant de tergiverser jusqu'à l'irish-coffee, moment où je finis enfin par lui faire part de ma décision. Je rentrai donc au bureau et annonçai à l'équipe qu'on allait mettre Weezer en une.

Le lendemain, mon téléphone sonna, c'était Yves qui me demandait de passer le voir au quatrième étage, ce que je fis aussitôt. J'étais officiellement le rédacteur en chef de *Rock Sound*, lui était devenu celui de *Rolling Stone*, mais il gardait un œil sur les affaires. « Je sais pas si t'as remarqué mais les lecteurs de *Rock Sound* parlent vachement d'Indochine dans le courrier », me dit-il alors que je m'asseyais en face de lui. Il faut remettre les choses dans leur contexte. Nous étions au tout début des années 2000 et le groupe de Nicola Sirkis n'avait pas encore effectué le come-back qu'il s'apprêtait à faire. On était déjà revenu à une période de l'Histoire où le mot « Indochine » évoquait plus la guerre (des années 1950) que le groupe (des années 1980). « J'ai mangé avec les gens de Columbia à midi. Ils nous déroulent le tapis rouge si on part sur la couv' Indochine. On va avoir accès comme on veut à Nicola pour qui il est super important d'avoir cette couverture. » Je ne disais rien mais j'étais un peu amer qu'il parle en disant « on » au lieu de dire « tu ». Mais il ne me laissait pas le choix, il me sommait de trouver que c'était une bonne idée de mettre Indochine en couverture. C'est quand même lui qui m'avait embauché, et chaque mois depuis que j'étais à Freeway, c'est lui qui m'expliquait pourquoi on mettait tel ou tel artiste en couverture, alors qui aurais-je été, à essayer de remettre en question son avis sous prétexte que j'étais rédacteur en chef (depuis un mois), et en plus grâce à lui ? Bref je compris que j'allais devoir appeler Gilles chez Polydor pour lui annoncer que finalement, « après conversation avec Yves », on allait plutôt mettre Indochine en couverture. Je n'eus pas besoin de lui expliquer que la décision était celle d'Yves, il le comprit tout de suite. Yves avait décidé qu'on mettrait Indochine en couverture. Son déjeuner avait tout simplement eu lieu en même temps que le nôtre et en quelque sorte, les choses décidées pendant le sien avaient plus d'importance que les nôtres. Il m'avait « *surdéj* ». J'aurais pu contester sa décision qui revenait à exiger le contrôle de *Rock Sound* « au nom de ma liberté d'informer » (ha ha ha), mais en réalité, j'aimais l'idée de ne pas être réellement seul à tenir les rênes du magazine. Ça me rassurait de ne pas être l'unique responsable en cas de baisse des ventes ou de tout autre problème. Si Yves me disait « ne pas être véritablement décidé » sur si oui ou non il fallait mettre tel artiste en couverture de *Rock Sound* car il devait encore mûrir sa décision et que, pendant ce temps-là, l'attaché de presse me harcelait pour savoir si oui ou non j'allais mettre son artiste en couverture, je lui répondais que je n'étais pas encore véritablement décidé, qu'il fallait que je mûrisse encore ma décision. Cette situation m'allait assez bien. Si à un moment, j'ai cru que j'allais pouvoir mettre mes groupes préférés en couverture tous les mois, je ne l'ai pas cru longtemps. Et j'inaugurais mon nouveau statut avec une couverture Indochine, ce qui était loin de mes goûts. D'autre part, le metal était tellement plébiscité par les lecteurs qu'il remplissait les trois quarts du magazine, on passait notre temps à (devoir) écouter du metal et je n'en pouvais plus. Comment savoir quelle place accorder dans le magazine aux nouveaux albums de Poison The Well, Vision of Disorder ou Converge,

puisque chacun m'épuisait après un titre seulement ?
J'avais 25 ans et je commençais à comprendre l'avis de
ma mère (la vie de ma mère) sur AC/DC quand j'en
avais 13. Mais on n'avait pas le choix. Dès le matin,
en arrivant au bureau, il fallait écouter les nouveautés.
J'avais l'impression d'être devenu le rouage d'un système destiné à aider les majors à vendre des disques
(Sony/Warner/Universal qui squattaient en moyenne
60 % du rédactionnel du magazine) et à faire acheter
à des ados les CD d'une mode musicale pour laquelle
j'avais perdu tout intérêt.

Même les concerts m'amusaient moins. On était
dans un concert de Lou Reed avec mon pote Seb et
comme on ne s'était pas vus depuis longtemps on était
vraiment contents de se retrouver. On était sûrement
plus contents de se voir que de voir Lou Reed en
concert, qui était un excellent chanteur mais moins que
nous n'étions amis. Surtout, il venait de sortir un
album, *The Raven*, presque entièrement basé sur des
poèmes Edgar Poe, et ce soir-là il ne jouait que les titres
de ce nouvel album. Seb et moi avions pris place dans
le public debout, et échangions sur les vacances que
nous venions de passer, alors je lui racontais mes dernières dates de spectacle en festival de théâtre de rue.
Il est possible que nous ayons été en train de parler fort
mais franchement dans mon souvenir rien de grave. À
un moment pourtant un membre du public juste à
côté nous fit sursauter en se mettant à nous hurler de
fermer nos gueules. Le gars hurla de rage, vraiment,
au point que pendant une microseconde, il n'est pas

impossible que Lou Reed ait légèrement levé l'œil de sa guitare en se demandant s'il n'y avait pas un début de bagarre dans la salle. Si quelqu'un possède un enregistrement pirate du concert que Lou Reed donna au Casino de Paris le 26 mai 2003, on entend probablement ce dérapage du public au milieu du concert. En réalité aucun doute qu'entre Lou Reed et nous, c'est lui qui faisait plus de bruit, mais le public n'avait pas payé sa place pour nous écouter parler. Je continuai donc de regarder le concert comme si c'était exactement ce que Seb et moi avions prévu de faire, tout en pensant qu'il était temps que je me rende à l'évidence : je commençais à trouver les concerts beaucoup trop longs, en tout cas par rapport au temps dont je croyais disposer dans la vie.

Doutes persistants

Peu de temps après avoir pris la rédaction de *Rock Sound*, j'ai commencé à observer des gens dans le bureau qui venaient voir Pierre (l'éditeur qui mange des pommes), et ces gens ne ressemblaient en aucun point à ceux qu'on avait l'habitude de voir passer. C'étaient trois hommes, et ces trois hommes qui passèrent trois fois dans le bureau en l'espace de deux mois étaient invariablement vêtus de chemises rentrées dans le pantalon. Ils n'avaient pas de baskets aux pieds, mais des souliers vernis, et l'un d'eux portait même un veston. Enfermés dans le bureau aquarium de Pierre, on voyait bien qu'ils parlaient de nous. Ils levaient le menton en nous regardant et quand nos regards se croisaient ils nous adressaient un sourire en continuant à se parler comme s'il n'y avait aucune raison de s'inquiéter d'être entendus car c'était insonorisé et ils le savaient. Apparemment ça ne les dérangeait même pas qu'on voie qu'ils parlaient de nous. Tout ça me donnait de plus en plus l'impression qu'on était les enfants dans un divorce et que le juge aux affaires familiales et des gens des services sociaux étaient en train de s'entretenir avec notre tuteur légal pendant que nous on attendait assis sur un banc au tribunal. Ça ne nous disait rien qui vaille d'autant que je savais, pour avoir entendu ma mère dire ça des centaines de fois, que « dans un divorce, c'est toujours les enfants qui trinquent ». Yves vit d'un très mauvais œil l'arrivée de cette bureaucratie et me dit qu'il pensait qu'il allait « falloir la jouer serré », ce que je ne fus pas sûr de comprendre, à part que jusque-là, nous l'avions jouée « desserré ». Ma mission consistait principalement à valider les articles après relecture et organiser le chemin de fer du magazine (toutes les pages rassemblées sur une seule page), qui de toute façon était toujours soumis à son approbation. J'avais plus l'impression que ma tâche consistait à faire comme si j'étais rédacteur en chef plutôt que d'être véritablement rédacteur en chef. Mais Yves me fit prendre conscience que les problèmes arrivaient. Je découvris que rédacteur en chef est un métier qui obligeait à rester beaucoup au bureau : je faisais moins de voyages, moins d'interviews, et quand j'en faisais, avec les créneaux de trente minutes qui nous étaient donnés, j'avais plutôt l'impression d'être du bétail à junket. Était-ce vraiment ce que j'avais prévu de faire ? Ou bien « rédacteur en chef » c'était juste le bout d'un parcours commencé à 12 ans quand j'étais fan de rock et qui se terminait là ? Est-ce que ce serait normal de s'occuper d'un magazine sur les Barbapapa à 25 ans parce qu'on a découvert les Barbapapa à 12 ans et qu'on a adoré ça ? N'était-il pas temps que je passe à autre chose ? J'étais devenu un fan de musique professionnel et finalement, à mesure que je ne voyais pas beaucoup de perspective d'évolution dans ce secteur, je sentais que j'avais moi aussi envie de « faire l'artiste » plutôt que de passer mon temps à recueillir les propos de groupes de metal. Il y avait quelque chose qui bouillait en moi, qui demandait à sortir pour s'exprimer, et je sentais que ce quelque chose avait à voir avec le Professeur Brocolino.

Je ne cessais pas, en parallèle, de donner des représentations de Freddy Coudboul avec Rodolphe, ce qui donnait un côté clairement schizophrène à mon emploi du temps. Il m'est arrivé de jouer sur une brocante en plein soleil à midi dans un patelin du Finistère alors que vingt-quatre heures plus tôt j'étais en train d'interviewer les Deftones au sommet de la tour Warner à New York. En une révolution de la Terre, je passais de

New York à Concarneau, et du yin au yang du show-biz. On faisait des dates presque tous les week-ends, et le spectacle remportait toujours un franc succès. Chaque été commençait au Festival Viva-Cités de Sotteville-lès-Rouen (clairement la Mostra de Venise du théâtre de rue) et se terminait en feu d'artifice au Festival d'Aurillac (son Festival de Cannes). Dans ces deux festivals, on jouait toujours « à la manche » devant des foules compactes, et je rentrais à Paris avec un sac rempli de kilos de pièces de 10, 20, 50 centimes, 1 et 2 euros (soit l'équivalent d'environ un an de baguettes tous les matins, payées avec l'appoint à chaque fois). Comme la plupart du temps, on était rémunérés en cachets, un jour je fis le calcul et me rendis compte que je faisais assez de cachets dans l'année pour prétendre au statut d'intermittent du spectacle. Si jamais j'arrêtais de travailler dans la presse, au moins je pourrais gagner ma vie en continuant ce spectacle et en en faisant d'autres. Et c'est peut-être à ce moment-là qu'un petit lutin invisible me prévint à l'oreille que si je désirais au fond de moi faire des spectacles et ne faire que ça, c'était à moi seul qu'il revenait de prendre cette décision. Ce qui me plaisait en jouant ce spectacle et en tournant avec Rodolphe c'est qu'on passait énormément de temps à se marrer. À *Rock Sound* je me marrais mais clairement moins qu'au début. S'il existait un lutin pour me motiver à reprendre la scène, il en existait un autre qui ne prenait pas DU TOUT au sérieux le journaliste que je prétendais être. « Hahaha mais tu ne comprends que 70 % de l'anglais qui t'est adressé !

Tu as mis Indochine en couverture du magazine !! Tu passes ton temps à écouter les mêmes groupes en boucle ! » Un lutin qui voyait clair dans mon jeu. Il y avait un côté excitant parce que tous les jours on avait des paquets de nouveaux disques à ouvrir même si les nouveautés nous arrivaient dans des versions non définitives, avec juste une pochette blanche, le nom du groupe et le nom de l'album imprimé à l'ordinateur, et quelque chose en moi (de complètement con) estimait parfois que ce n'était pas assez pour me donner envie d'écouter le disque, comme si je refusais de l'écouter sous le seul prétexte que c'était une nouveauté. Tous les mois je devais me faire un avis bien tranché sur une quarantaine d'albums au moins, et c'était plus d'opinions que je n'avais jamais prévu d'en avoir. Ma curiosité n'était plus ce qu'elle avait été, et je ne pouvais attribuer cela qu'au fait de « travailler dans la musique ». Je passais beaucoup de mon temps à louvoyer avec des attachées de presse qui passaient leurs temps à me demander ce que j'avais pensé de tel ou tel album et à qui je répondais : « Faut que je réécoute. » Ça devenait fatigant. J'avais en quelque sorte atteint le point de dégoût de ma passion. J'en vins à me rendre compte que les responsabilités me démotivaient, et je dus me demander si Yves avait eu du nez de me mettre à ce poste, s'il ne m'avait pas un peu surestimé.

J'étais à peu près capable de gérer l'aspect éditorial mais je continuais d'être immensément nul sur toutes les questions techniques. Car à chaque fois que les autres (maquettistes ou de la gravure) me posaient une question en rapport avec l'envoi des cahiers, mon retard sur un texte, ou n'importe quoi qui pouvait laisser apparaître mon manque de sérieux ou mon incompétence, comme je savais que j'étais coincé, je ne trouvais rien de mieux à faire qu'une tête d'abruti exprès pour les faire rigoler. J'étais une sorte de rédacteur en chef sympa à qui on savait que ça ne servait à rien de parler des questions importantes.

Un jour, les hommes en chemise nous ont rassemblés dans un bureau. On savait que tôt ou tard ça allait arriver car depuis quelque temps des maquettistes syndiqués nous avaient parlé de rumeurs et ensuite c'est allé très vite. J'ai remarqué que les maquettistes sont souvent syndiqués. Avant de travailler à *Rock Sound*, ma seule expérience des syndicats était plutôt une expérience de « discours sur le syndicat » et ce discours était celui de mon frère qui pense que « tous les syndicalistes sont des fainéants », ce qui signifie en fait que mon frère a plus un problème avec les fainéants qu'avec les syndicats.

Je m'en aperçus le jour où Yves décida de mettre la chanteuse Zazie en couverture de *Rolling Stone*. Elle venait d'avoir un enfant, la maternité l'avait transformée et Yves insista pour qu'elle pose avec son bébé en couverture. La chanteuse fit savoir à son attachée de presse qu'elle refusait, mais qu'elle était d'accord pour poser avec un bébé qui ne soit pas le sien. Yves me confia donc qu'il avait besoin d'un nourrisson que les parents accepteraient de faire poser en une du magazine. Comme mon frère venait d'avoir un deuxième petit garçon et qu'il allait justement passer par Paris de retour de vacances le jour de la session photo avec Zazie, je lui demandai si sa femme et lui seraient prêts à jouer « le jeu », et le lendemain, je pus dire à Yves que mon frère et sa femme étaient d'accord pour prêter leur bébé à Zazie. Mon frère dormit chez moi la veille de la session photo et le lendemain on se rendit tous les trois (bébé inclus) au Studio Daguerre dans le 14e pour que le bébé soit mis dans les bras de Zazie, et que le photographe fasse ses photos pour la couverture du magazine. Le rendez-vous était fixé à 10 heures, mais Zazie eut quarante minutes de retard et même une fois arrivée, elle dut passer au stylisme et au maquillage… Nous ne pûmes donc commencer à faire des photos que vers midi. Avec mon frère on attendit donc dans la loge du studio photo, en mangeant des viennoiseries et en buvant des cafés. J'étais assez content de proposer un truc un peu original à faire vivre à mon frère, je me disais que ça leur laisserait un souvenir marrant d'avoir une photo de leur fils dans les bras de Zazie en couverture d'un magazine. Quand je dis « marrant » je galvaude un peu le mot, je suis d'accord, mais vous voyez ce que je veux dire (en y pensant, je comprendrais très bien que certains ne voient pas du tout ce que je veux dire). On continuait donc de boire des cafés dans le studio avec mon frère. À côté de nous, il y avait Yves, mais le maquettiste de *Rolling Stone* était aussi venu. Il y avait également plusieurs personnes du label, l'attachée de presse, des gens du marketing, et la manageuse de Zazie. Tout le monde buvait des cafés en attendant que Zazie soit maquillée, et au bout de quelques minutes je vis mon frère assis avec son gobelet vide qui commençait à taper du pied. J'ai oublié de préciser que mon frère Mathieu est électromécanicien et travaille dans une usine dans laquelle il fait de la maintenance sur les machines. Quand il est à l'usine, il ne chôme pas, il court entre les machines. Parfois il est appelé la nuit chez lui pour aller trouver l'origine d'une panne à l'usine et réparer le truc. Là je le voyais nous observer tous en train de parler de tout et surtout de rien dans le studio. Il se pencha vers moi et me dit discrètement : « C'est impressionnant le nombre de personnes réunies au même endroit alors que personne ne branle rien. » Connaissant la nature même de son travail, c'était dur de lui donner tort. Mais c'est aussi pour ça que je pense que si mon frère déteste autant les fainéants, ce ne peut pas non plus être au point de leur souhaiter la mort, puisqu'il sait qu'il y a moi dans le lot.

Premier rachat

Chez Freeway, dès le matin, les gens parlaient de « rachat de la boîte » et si je voyais une certaine austérité sur leurs visages quand ils en parlaient, je n'arrivais pas à savoir si c'était grave ou non, mais il me semblait que oui. Si Freeway avait été une personne malade, je me demandais si le rachat signifiait qu'elle avait un cancer ou la gastro.

Les hommes en chemise étaient donc au nombre de trois : il y avait deux petits et un grand. Le grand avec le veston prit la parole et nous dit que les Éditions Freeway allaient être fusionnées avec un autre éditeur, et nous nous appellerions désormais Ixo Publishing. Luc Bourcier, que je pris pour le nouveau patron, ajouta qu'il ne fallait pas le confondre avec un autre éditeur connu qui s'appelait XO car ça n'avait rien à voir, et je trouvai bizarre d'avoir monté une maison d'édition avec un nom aussi proche de celui d'une autre, et j'en fus même découragé : c'était comme si je devais travailler au lancement d'une marque de cassoulet appelée William Saurel. Il était ravi d'accueillir... (je crois qu'il parla beaucoup) « des équipes dynamiques »... au sein du nouveau groupe. J'eus l'impression que ce grand homme en veste était mon nouveau patron.

La nouvelle que nous redoutions tous nous fut cependant annoncée : nous allions devoir déménager dans de nouveaux locaux et donc quitter le 9e arrondissement, notre petit village et nos petites habitudes : le serveur de la pizzeria, le débitant de tabac, la marchande de donuts ! Aïe, les hommes en chemise étaient venus pour prendre les choses en main et avec de « grands projets », notre petit nuage allait fondre très bientôt. À cette annonce, j'eus instinctivement le sentiment que les choses n'allaient plus être comme avant et, d'un seul coup, je n'eus plus du tout envie d'être rédacteur en chef. J'allais sortir de mon périmètre de sécurité, j'allais devoir parler avec des gens en chemise. J'eus subitement l'impression de devenir cadre chez Alcatel et la sortie de la réunion me plongea dans un cafard irrépressible. Les gars voulaient multiplier le nombre de numéros hors-série, ce qui signifiait naturellement beaucoup plus de travail. Un mois plus tard, ils nous dirent que comme les locaux de la rue Rougemont étaient trop chers, nous allions devoir intégrer d'autres locaux, situés près de la porte de Clichy. Ils sortirent aussi de grands fascicules en papier glacé qu'ils nous distribuèrent en expliquant que ces livrets étaient réalisés à l'intention des annonceurs publicitaires, pour qui les magazines seraient désormais rassemblés sous forme de « tribus » : la tribu rock, la tribu rap, la tribu techno… et j'ai encore un peu honte pour eux aujourd'hui qu'à cause de cette idée, ils aient mis une photo de chef indien en couverture du fascicule. Pour justifier l'idée des tribus. *Rock Sound* et *Hard n' Heavy* seraient donc la « tribu rock », et *Trax* et *Groove* constitueraient la « tribu urbaine ». Alors que nous nous tenions debout en cercle face aux hommes en chemise et à leurs fascicules, je vérifiais les jambes de tous mes collègues après cette annonce : ça nous faisait à tous de très très belles jambes.

À partir de là, il y eut de plus en plus de réunions, organisées parfois par tribus et parfois non. C'est terrible car j'ai toujours su que dans la vie je voulais faire le moins de réunions possible. Ce n'est pas que je n'aime pas les réunions, j'aime bien le début, le moment où on se dit bonjour, où on est léger en parlant de la série qu'on a regardée la veille. Mais il y a toujours un moment où il y en a un qui tape dans ses mains en disant « Bon, on s'y met ? », et perso c'est là que les choses se gâtent, je tiens vingt minutes. J'ai toujours trouvé que vingt minutes est la bonne durée pour une réunion. Je me doute que beaucoup de choses demandent plus que vingt minutes pour être réglées mais vraiment passé ce délai j'ai du mal à rester dans le moment présent. Au lendemain de la visite des hommes en chemise, Pierre m'annonça qu'il fallait que je fasse un hors-série poster. Il fallait que je choisisse dans nos archives les 16 photos à faire agrandir en format poster dans le journal, et contacter les photographes pour avoir les négatifs et les planches-contacts en jpeg et en 300 dpi. C'est ce qu'on m'avait dit de dire, et je découvris encore plus que mon nouveau métier consistait à répéter comme un perroquet à un photographe les consignes techniques que je ne comprenais pas et qui m'avaient été données par la maquette. Au même moment, beaucoup des employés parlaient entre eux de la possibilité de poser leur clause de conscience avec le rachat. La clause de conscience permet à quelqu'un doté d'une carte de presse de quitter un média avec des indemnités suite à un rachat, estimant qu'il ou elle peut ne pas vouloir travailler pour un nouvel employeur. Ne me demandez pas pourquoi car je n'ai jamais bien compris, en même temps quand on se voit proposer de pouvoir donner sa démission et

de toucher quand même des indemnités, qui cherche-
rait à comprendre ? On était tous dans l'attente et un
jour Pierre me présenta les plans de nos futurs bureaux,
en me disant « Tu vas voir c'est super », et en le disant
il avait fait un petit clin d'œil qui m'avait fait craindre
le pire. Je voyais mal comment on pouvait être mieux
lotis qu'avec ce qu'on avait à Rougemont avec notre
bureau certes petit et entassé, mais hyper central et
hyper lumineux. Pierre déplia le plan en disant qu'on
allait déménager en banlieue. Son doigt pointa une
salle sur le plan et il me dit : « Ici ce sera la rédaction
de *Rock Sound*. Toi tu pourras avoir ton bureau pour
toi juste à côté. » En examinant le plan, je découvris
que ledit bureau n'avait qu'une seule fenêtre. « Mais il
n'y a qu'une seule fenêtre dans ce bureau ! » lui fis-je
remarquer. Il répondit aussitôt d'un air rassurant :
« Oui mais elle est toute petite ! » Ce à quoi, à mon
tour, je répondis « Ah OK cool » avant de sortir du
bureau. Et j'avoue que ce n'est qu'une fois sorti du
bureau que je me dis « mais elle ne voulait rien dire
cette réponse. »

Benne à disques

Il fallut donc qu'on déménage. Le déménagement
est l'ennemi du collectionneur. Si mon propre appartement était déjà devenu une sorte d'entrepôt de disques,

d'affiches et d'objets gratuits à l'effigie de groupes, les bureaux de l'éditeur qui regroupait les magazines *Rock Sound, Hard n' Heavy, Trax, Groove, Ragga* et *Rolling Stone* étaient devenu en quelques années une sorte de musée de la Musique, et plonger la tête dans les fameuses poubelles à disques qui jalonnaient les couloirs faisait la joie de n'importe lequel de nos visiteurs qui était un tant soit peu collectionneur. Il nous avait été demandé de faire nos cartons très vite et sinon de rapporter chez nous ce que l'on désirait garder. Et comme pour nous signifier qu'il n'était pas envisageable de remplir les nouveaux bureaux avec le même bordel qui avait trôné à Rougemont pendant toutes ces années, il avait été installé deux grandes bennes à ordures devant l'entrée du bâtiment. Très vite les bennes se retrouvèrent remplies de centaines de vieilles imprimantes, de bios d'artistes, de livres, de disques, d'affiches, de magazines. Pas mal de passants montaient carrément dans les bennes pour piller ce qu'il y avait à piller. J'assistais impuissant au massacre. J'aurais bien tout rapporté chez moi pour faire le tri après, mais le collectionneur que j'étais n'était tout simplement pas doté de suffisamment de mètres carrés pour imaginer en rapporter le dixième. Des touristes asiatiques étaient accroupis dans la benne et en épluchaient le contenu comme un chineur dans un vide-greniers. Moi qui avais passé des années à mettre tout mon argent dans la musique, d'un seul coup je me mettais à regarder ces deux bennes et je me disais que tout l'argent que j'avais dépensé depuis des années pour accumuler des objets par fétichisme ne valait pas plus que tous ces objets foutus à la poubelle, voués à se consumer ou à flotter quelque part entre Madagascar et l'Australie.

À ce moment-là, moi-même qui étais au centre même de la collectionnite, dans le vortex même de l'accumulation obsessive qui est le truc le plus simple à faire car il ne demande que de consommer (ce à quoi on est tous déjà bien entraînés), je fus successivement désolé de ne pas avoir la place de stocker et dégoûté des objets en regardant cette benne se remplir, et jamais un disque ne m'a autant fait penser à un simple petit bout de plastique.

Vue sur le périphérique et team building

Quand on est sur le périphérique parisien, qu'on a passé la porte d'Aubervilliers et qu'on s'apprête à longer Saint-Denis, il y a une très longue ligne droite au bout de laquelle on peut voir un immeuble absolument gigantesque et très amoché. On ne peut pas perdre de vue cet immeuble puisqu'il est situé au bout de la ligne droite, dans le virage de la porte Pouchet, juste au bord du périph. Et plus on se rapproche, plus il est impossible d'ignorer que sur cet immeuble est écrit en gros le mot « Fiducial ». Quand j'étais petit et qu'en remontant de vacances on passait par Paris dans la voiture familiale, j'étais toujours fasciné par la distance jusqu'à laquelle on pouvait voir des habitations et des immeubles, et je me demandais toujours comment les gens faisaient pour s'y retrouver dans un pareil méli-mélo de bâtiments (je n'ai pris conscience que très tard du système des cartes routières). L'immeuble Fiducial de la porte Pouchet, dans lequel nous allions emménager, pourrait être le prototype de l'immeuble qui soulevait chez moi tant de questions quand j'étais enfant : pourquoi fabriquer de si grands immeubles ? Pourquoi d'autres s'embêtent-ils avec des notions d'architecture quand on peut apparemment fabriquer des immeubles tout bêtes juste en additionnant les étages ? À partir de quel moment les propriétaires d'un immeuble estiment-ils qu'il est temps de procéder à un ravalement de la façade ? Enfin, si cet immeuble était une sorte de paquebot, n'était-il pas en train de devenir mon *Titanic* ? Allais-je heurter un iceberg du pôle musique ? Dès que j'appris que notre rédaction et les autres allaient emménager aux sixième et neuvième étages de cet immeuble, je sus immédiatement que l'un des buts de ma vie serait de ne pas me défenestrer.

Une semaine après notre arrivée dans ces nouveaux locaux, la direction organisa une grande soirée sur une péniche pour célébrer la fusion de Ixo Publishing avec Cyber Press Publishing. À part pour la direction et les actionnaires (qui placent probablement dans de telles associations des espoirs de nature fiduciale... voire peut-être même fiduciaire, en tout cas financière c'est sûr), j'ai du mal à concevoir que la fusion de deux entreprises puisse être l'occasion de trinquer pour qui que ce soit. Hormis pour quiconque rêverait de se faire plein de nouveaux collègues d'un seul coup, je ne vois rien de spécial à célébrer. Néanmoins, vous avez beau faire partie d'un magazine de rock, le magazine de rock appartenant à une entreprise, si cette entreprise décide de fêter son association avec une autre, vous ne faites pas de chichis, vous fêtez ça avec elle. Et s'il faut aller sur une péniche, vous y allez. Celle-ci était située aux alentours de la gare de Lyon et on s'était retrouvés une centaine de mètres avant avec les autres membres de la rédaction pour être sûrs de ne pas vivre le moment de solitude de ce genre de soirée où tu arrives seul et tu te retrouves à parler la première demi-heure avec quel-qu'un du service abonnements. Après une première heure à boire tout ce qu'il était possible, vint le moment où des têtes que nous ne connaissions pas commencèrent à faire passer le mot qu'allaient avoir lieu des discours dans le club de la barge. Tout le monde descendit, et successivement plusieurs per-sonnes firent un petit discours pour nous dire que ça y était, ça ne s'était pas fait sans effort, mais Ixo Publi-shing était officiellement intégré à Cyber Press. Quelle doit être la teneur des applaudissements dans de telles circonstances ? Les entreprises aiment-elles tant la paperasse pour qu'elles aient besoin de se racheter les unes les autres ? Je ne sais plus où j'en étais de mes élucubrations devant la succession de discours quand me vint une idée à tout le moins originale, en tout cas cocasse. D'où peut-elle m'être venue, cette idée, alors que les discours se terminaient, de monter sur scène, de m'emparer du micro et d'entonner une chanson à la gloire de l'éditeur ? Galvanisé par la présence du mot « cyber » dans le nom de l'entreprise, à ce moment précis, j'eus envie de chanter la boîte. De chanter les vertus de l'édition, les noms des gens du service courrier, de Gilles Heylen et de Luc Bourcier, la gentillesse de la dame de la comptabilité. J'avais fait des mélanges d'alcools alors il est probable que le nombre de pieds ne fut pas toujours très carré dans la chanson qui était totalement improvisée. Par ailleurs mes motivations à monter sur la scène de façon impromptue étaient liées à 90 % au chardonnay. Je me rappelle très bien le visage de gens un peu stupéfaits se dire « c'est quoi ce gusse ». Je ne savais pas ce que je venais de faire. Je fus applaudi à tout rompre et tout le monde voulut me payer un coup car je suis sympa. Bon faut préciser que c'était open bar, mais je suis sympa quand même. Malheureusement ma chanson débile chantée bourré avait apparemment convaincu les directeurs de Cyber Press Publishing (ils insistaient eux-mêmes beaucoup pour qu'on dise « *publishing* ») que j'avais une sorte « d'esprit de cohésion indispensable pour la boîte » (j'imagine que c'est le genre de choses qu'ils se dirent entre eux en me regardant et en hochant la tête avec leurs flûtes de champagne), et que ma chanson leur ferait faire l'économie d'un lipdub ou je ne sais quoi.

Éditeur délégué

La laideur du bâtiment et l'ultra-proximité du périphérique provoquaient chez moi un sentiment de dépression dès que je mettais les pieds à Fiducial. Car oui pourquoi ne pas l'appeler par son prénom, cet immeuble ? La meilleure façon d'imaginer mon état de tristesse quand j'entrais dans l'ascenseur serait d'ailleurs peut-être d'imaginer une conversation avec quelqu'un qui s'appellerait Fiducial. On est d'accord qu'on n'a pas envie de lui ressembler à ce monsieur, avec son costume gris et son visage terne. Moi c'était pareil avec l'immeuble. Je n'avais pas *du tout* prévu de me retrouver dans une situation de ma vie où je devrais dire aussi souvent le mot « Fiducial ». Pour peu qu'on puisse dire que je fus jamais quelqu'un qui avait des plans dans la vie, l'énorme immeuble Fiducial venait tous les contrecarrer, un par un. Fini le confort et l'insouciance de la rue Rougemont, nous passions de l'autre côté du boulevard périphérique, à quelques mètres seulement du panneau « Paris » ! Psychologiquement ça devenait l'enfer. Depuis les fenêtres de notre bureau, au-dessus du périph, nous avions un vis-à-vis direct avec les gens de Paris à leur fenêtre, et qui pouvaient nous narguer avec leur code postal, bien qu'ils ne l'aient jamais fait. L'immeuble s'appelait Fiducial et je ne connaissais même pas le sens du mot « fiducial » ! Pour être honnête, je ne le connais pas mieux aujourd'hui, mais j'ai une très bonne excuse, je ne veux pas le connaître, comme le sens de tous les mots utilisés sur les tracts qu'on peut avoir gratuitement dans les banques.

La nouvelle rédaction de *Rock Sound* était située au bout du « couloir » du sixième étage qui avait presque la longueur d'une rue. L'ascenseur pour y accéder me faisait penser au mot « Pologne » à chaque fois que je l'empruntais. Il débouchait sur un SAS de sécurité, et si on oubliait son pass, on pouvait rester là cinq, parfois dix bonnes minutes à attendre que quelqu'un arrive à ce même étage, ou passe devant la baie vitrée pour l'interpeller et lui demander de nous ouvrir. Là, on entrait dans le couloir-rue qui cette fois-ci faisait immédiatement penser au mot « hôpital » et qui faisait toute la longueur de l'immeuble. Il fallait bien 30 secondes de marche en ligne droite pour accéder à notre bureau qui était situé à l'extrémité. Quand un visiteur venait nous voir, si on se postait à l'entrée du couloir pour l'accueillir, entre le premier regard que l'on pouvait lui adresser et la poignée de main qui s'ensuivait, il s'écoulait une demi-minute, ce qui donnait lieu à de longs silences gênants pendant qu'il marchait. Comme quand on descend du train et qu'on aperçoit quelqu'un qui est venu nous chercher au bout du quai, mais que la personne est trop loin pour commencer à lui parler, alors le temps d'arriver à elle, il n'y a rien d'autre à faire que lui adresser des petits sourires pour lui montrer qu'on est content qu'elle soit venue.

En plus d'être moches, les bureaux étaient beaucoup trop grands, ce qui laissait malheureusement à la mocheté la possibilité de s'étaler partout. Le déménagement nous avait obligés à faire le tri dans les mille bibelots qui donnaient au bureau de la rue Rougemont son atmosphère de travail bordélique, joyeuse et ludique, et nous avions eu la main beaucoup trop lourde dès qu'il avait fallu jeter des trucs, ce qui fait que nous n'avions presque plus rien pour décorer les murs et nos bureaux. Là, nous étions priés de ne plus coller d'autocollants aux murs, de toute façon les murs étaient trop vastes et nous n'avions plus qu'un carton plein d'autocollants « Rock Sound », il nous semblait vain et légèrement autocentré d'essayer d'égayer le bureau uniquement avec le même autocollant collé des milliers de fois.

Au milieu des cartons, nous bouclâmes le premier numéro dans l'urgence du déménagement. Il s'agissait d'un nouveau numéro hors-série français. Pour la sixième fois en six ans, nous couvrions l'actualité du rock français avec une moyenne d'entrées de 200 groupes par numéro. Il n'était pas rare d'interviewer un groupe de ska qu'on avait déjà interviewé l'année précédente et au final cet exercice aussi avait quelque chose de redondant. Pourtant je me souviens très bien d'avoir dédié l'édito de ce numéro à la mémoire de l'acteur Jean Lefebvre, récemment disparu. Jean Lefebvre était un acteur de théâtre et de cinéma connu (entre autres choses) pour son rôle de Fougasse dans la série avec Louis de Funès du *Gendarme de Saint-Tropez*. Tous les mois, des milliers de lecteurs attendaient (avec une impatience certes relative) la sortie du mensuel les informant de toutes les nouvelles sur le rock, et moi c'est à la mort de Jean Lefebvre que je décidais de consacrer mon édito. À peine amusé par ma propre idée alors que je mettais mon nom et mon statut de rédacteur en chef en bas de la page, croyant faire montre d'un humour décalé, je ne pris même pas la peine de réécrire un autre édito et envoyai le texte à Patrick (le secrétaire de rédaction) sans me soucier de l'absence totale de pertinence de mon texte, pas embarrassé une seconde par l'indignité de l'initiative. Quand j'envoyai mon texte à Patrick, il me dit que je m'étais trompé car je lui avais envoyé un texte qui parlait de Jean Lefebvre, et je lui répondis que c'était le bon texte. En réalité, Patrick avait raison, je me trompais d'édito, mais surtout je me trompais de métier.

Très vite, nous comprîmes que sur les quatorze étages que comptait Fiducial, quatre seulement étaient occupés. Ça ne nous avait pas étonnés plus que ça, vu le très peu de gens que nous croisions dans les ascenseurs et les couloirs, ce qui pouvait parfois nous donner l'impression d'être les squatteurs d'une sorte d'immeuble abandonné en URSS. Au quatorzième étage de l'immeuble trônait le fondateur de Cyber Press Publishing, Marc Andersen, dont le bureau était dans mon souvenir le seul à détenir des canapés et un minibar avec de l'alcool. Que peut-il y avoir de glorieux à installer son bureau au sommet d'une tour remplie aux trois quarts de bureaux vides ? me demandai-je. Le gars ne s'était pas imaginé une seule seconde ce qu'il pouvait y avoir de démotivant pour n'importe lequel de ses salariés de démarrer une journée de travail par la traversée de bureaux vides ? Autant commencer une course automobile avec quatre pneus crevés. Bref, la première fois que je me retrouvai devant la porte d'entrée de Fiducial, c'est comme si pendant quelques secondes je fus traversé par la connaissance de la date exacte de ma mort, ou quelque chose d'à peu près aussi glaçant. En tout cas l'idée de travailler dans un magazine de rock commençait à me sembler vraiment de moins en moins rock. Luc Bourcier est le premier des trois personnages de la direction de Cyber Press (la nouvelle boîte) que j'ai rencontrés. Il était évidemment en chemise, coiffé à un point à se demander si *autant* était fait exprès. Il était évident qu'il voulait se rendre sympathique auprès des équipes de Ixo (l'ancienne boîte) quand il était venu s'adresser à nous dans les bureaux du 19e pour nous dire que son entreprise allait racheter celle dans laquelle on était. Il ricanait souvent d'un air de dire qu'il n'y aurait pas de problème. Les deux premiers mois, je croyais que Luc Bourcier était le patron et en fait j'appris plus tard qu'il était contrôleur de gestion, il était en CDD pour restructurer la boîte. Gilles Heylen fut le deuxième et immédiatement, il m'apparut aussi sympathique qu'improbable comme interlocuteur professionnel en cela qu'il me faisait penser à un vieil oncle. Éditeur délégué à toutes les rédactions, il devait bien avoir 60 ans et c'est lui qui le premier m'avait fait visiter les locaux, en ne répondant pas vraiment à mes questions quand je lui demandais ce qu'il y avait dans les autres étages, car on passait directement du sixième au neuvième. Gilles Heylen me donnait clairement l'impression d'attendre patiemment la retraite à grands coups de longs déjeuners passés en notes de frais. Il brassait beaucoup d'air mais toujours de façon sympathique. Quelques jours après la soirée sur la péniche, il m'invita à déjeuner aux Sportifs à Clichy, avec entrée plat dessert, deux bouteilles de vin et digestif. Je m'en souviens encore car ça m'avait étonné tout ce vin dans un contexte de boulot. D'autant que le déjeuner avait pour but de me proposer un poste d'éditeur délégué. Cyber Press souhaitait diviser le pôle musique en deux pôles : un pôle « musiques urbaines » avec les magazines rap, skate et techno, et un pôle de « musiques rock », dont ils voulaient faire de moi l'éditeur délégué. À ce moment précis (probablement à cause de la deuxième bouteille de vin de table) je ne me rendis pas compte que Gilles Heylen était en train de me déléguer ce pour quoi il était déjà lui-même délégué, et que c'était une façon de saucissonner ses responsabilités, en m'en coupant « généreusement » une grosse tranche. Une nouvelle fois, je ne sais pas ce qui me passa par la tête mais au moment où il me proposa ce poste à responsabilités, je n'eus l'idée d'aucune autre réaction que celle d'être flatté. Mon ego eut besoin de s'allonger deux minutes pour reprendre sa respiration. « Éditeur délégué ». « Bonjour, c'est Thomas Vandenberghe, je suis éditeur délégué. » Ça sonnait quand même pas mal. En vrai, je n'avais aucune idée du sens de ces deux mots ensemble. Je sais que l'on peut être éditeur de bien des choses, et délégué à beaucoup d'autres, mais quels mystérieux travaux m'attendaient avec la combinaison des deux mots ? D'un coup, l'idée même de cette promotion balaya toutes les images d'architecture des pays de l'Est qu'évoquait en moi l'immeuble Fiducial. Surtout, encore une fois, je me régalais d'imaginer la réaction de mes parents à l'annonce de cette nouvelle. On proposait de passer mon salaire de 2 400 euros à 3 000 euros mensuels. Que d'euros ! Comment mes parents allaient-ils réagir en apprenant qu'un de leurs fils se voyait proposer une opportunité professionnelle qui lui permettrait de devenir millionnaire en centimes d'euros ? En revenant de déjeuner, alors que la veille la seule vision de Fiducial m'inspirait encore des envies de suicide, je devenais potentiellement riche de 600 euros supplémentaires sur mon compte en banque tous les mois. Et j'avais la main : je disposais de quelques jours pour donner ma réponse. Dans cette situation, être en position de décider de mon avenir était ce qui me faisait le plus jubiler. Je pouvais poser ma clause de conscience et partir avec un chèque pour faire le clown, ou rester dans l'immeuble diabolique, en acceptant ou non leur proposition. Je ne sais pas ce qui détermine les choix des gens dans la vie. Enfin j'imagine que la plupart des choix que chacun fait sont déterminés par ce que cette personne imagine comme bénéfices des conséquences de ce choix. En revanche, que d'autres prendront exactement le contraire de la décision à prendre dans une même situation n'est pas quelque chose que j'ai besoin d'imaginer, je le sais puisque je l'ai fait. Aussi sûr que Descartes est sûr d'être parce qu'il pense, je suis sûr qu'il est possible de prendre des décisions de merde, puisque c'est quelque chose que j'ai fait de nombreuses fois dans ma vie. Je dus encore me faire croire pendant quelques jours que je prenais le temps de réfléchir mais j'étais trop assommé par la somme qu'on me proposait. 3 000 euros par mois à 25 ans, c'était beaucoup trop d'euros. Ce n'était pas refusable. Rangeant momentanément dans un placard mes rêves de théâtre de rue, je me pris à aimer cette image de jeune loup des affaires que la destinée avait fait de moi. 3 000 euros. « Écartez-vous tous, je gagne 3 000 euros par mois ! » Dix-huit mois auparavant encore je vivais la belle vie, je rendais mes papiers tous les mois, je ne me posais pas de question, et voilà que m'avaient été bazardées dessus les responsabilités de rédacteur en chef. Ajoutez à cela l'immeuble Fiducial, et les quarante-huit dernières heures avaient été suffisantes pour me décider à signer la clause en prenant le chèque. Mais voilà qu'une nouvelle proposition venait de nouveau me faire tergiverser, et je tombais amoureux de l'image que les patrons s'étaient faite de moi : celle d'un véritable magnat de la presse musicale. Je ne me reposais pas sur mes lauriers, j'étais littéralement vautré dessus. Pourtant il était essentiel de ne pas croire que ma seule mission allait consister à empocher 3 000 euros mensuels. Loin d'être bête, je n'ignorais pas qu'ils avaient dans l'idée de m'augmenter de 600 euros pour légitimer le fait de me demander de travailler davantage. Si j'acceptais leur proposition (pente sur laquelle je glissais déjà sérieusement, en jubilant de leur faire entendre qu'il fallait « que je réfléchisse »), je ne voulais pas donner l'impression de l'accepter aussi simplement qu'elle m'avait été proposée. Il allait falloir que je rentre dans les négociations, et là, excusez-moi mesdames et messieurs, mais les gars ne savaient pas où ils venaient de mettre les pieds, ça allait se jouer au coude-à-coude. Depuis que j'étais journaliste, je me rendais compte que je passais régulièrement des coups de téléphone professionnels avec mon téléphone portable personnel, et cette règle vaguement tacite n'avait que trop duré. C'est pourquoi, hésitant un peu sur le culot de mon entreprise quand même, je me décidai à demander, dans le cas où je signerais leur contrat : le remboursement non négociable de la moitié de mon forfait téléphonique. J'estimais que, continuant à utiliser mon téléphone pour un usage personnel aussi, je devais me résoudre à ne pas exagérer quand même, mais malgré tout, mon offre serait à prendre ou à laisser. Je dois avouer que je ne goûtai guère le petit clin d'œil complice que Luc Bourcier adressa à Gilles Heylen dans son bureau quand je leur fis part du deal que je leur proposais, car ne parle-t-on pas clairement d'une sorte de « deal » ? Peut-être est-ce moi qui, vivant mal la pression du moment, n'avais pas bien lu dans ses yeux, mais son regard me donna l'impression sordide que ça n'aurait pas posé plus problème que je demande le remboursement intégral de mon forfait téléphonique. Les yeux légèrement ricanants, Bourcier me demanda « OK mais… euh… pourquoi la moitié ? » Je fus surpris qu'il ne comprenne pas de lui-même que c'était naturellement parce que j'utilisais surtout mon téléphone pour des raisons personnelles, ce que je fus malgré tout obligé de lui préciser. Aussitôt, Luc Bourcier tapa dans ses mains très fort en disant « Bien !!! », un peu comme si on n'avait plus de temps à perdre. Je compris immédiatement que je ne lui étais pas apparu comme quelqu'un de très dur en affaires et qu'en outre, une sorte de réunion venait de s'improviser. À la base je n'étais pas venu pour ça du tout, j'avais noté sur mon agenda qu'il s'agissait d'un rendez-vous, et pas du tout d'une réunion ! Là, d'un air un peu grave, Luc Bourcier commença un long monologue sur les ventes du magazine qui avaient légèrement baissé, même s'il était bien conscient qu'elles avaient aussi été affectées par le déménagement et les changements d'éditeur de ces derniers mois, et j'écoutais directement ce discours comme le sermon d'un prof principal à son élève pendant le conseil de classe décisif d'un passage en classe supérieure. Puis il me suggéra de lui dresser la liste des hors-séries que *Rock Sound* pourrait envisager de sortir les mois suivants. À vrai dire il me demanda de le faire plus qu'il ne me suggéra de le faire. Comme si c'était le genre de liste que j'avais l'habitude de faire pendant mes heures de loisir, comme il aurait pu me suggérer de m'inscrire dans un club de judo ou de karting pour passer le temps. Cette liste m'était demandée comme si c'était le fruit du hasard de ses réflexions sur le coup, comme si ce n'était pas exactement le coup en trois bandes qu'il avait prévu de jouer aussitôt que j'aurais donné mon accord sur les 3 000 euros. C'est la première fois que je me retrouvais en situation d'avoir été augmenté, et j'avais du mal à imaginer que n'importe quel supérieur hiérarchique ait le culot d'en demander autant à celui à qui il vient d'attribuer cette augmentation. Il fallait que ce soit sur moi que ça tombe : un patron zélé et fou de boulot. Il ne me fallut que quelques secondes pour comprendre que c'était moi et personne d'autre qui m'étais mis dans cette situation, celle qui justifiait qu'on m'en demande plus. J'ignorais à quel niveau un employé, qui accepte toutes les évolutions de poste et augmentations de salaire qui vont avec, est tenu de mettre les bouchées doubles. En d'autres termes : parce qu'un patron vous augmente et qu'on accepte l'augmentation, se doit-on pour autant d'honorer obligatoirement l'attente qui est la sienne que vous allez travailler davantage ? Ça me semblait logique à un point où c'en était cliché, et après avoir fait semblant de réfléchir à haute voix à une courte liste des hors-séries « réalisables », je sortis du bureau avec, pour me venger de moi-même et de l'absurdité de ma décision, l'envie de demander au Colonel Moutarde de m'assassiner à coups de chandelier dans la véranda.

Convoqué chez le dirlo

Six ans plus tôt, je pensais vraiment que j'avais trouvé la place de rêve. Journaliste dans un magazine de musique, « critique rock », probablement un des métiers les plus tranquilles et convoités du monde : pendant six ans j'avais interviewé mes chanteurs préférés, reçu des milliers de disques gratuits, assisté à des centaines de concerts et multiplié les voyages aux États-Unis. Qu'est-ce qui m'avait pris d'accepter ce poste d'éditeur délégué ? Je ne savais même pas ce que ça voulait dire, « éditeur délégué ». Délégué de quoi, à qui ? La dernière fois que j'avais été délégué remontait à ma terminale, la classe avait applaudi à l'annonce des résultats mais ça n'avait rien changé au reste de mon année. En l'occurrence, je ne pouvais que constater que la responsabilité que j'avais acceptée m'obligeait aussi à prendre une décision sur le grammage du papier du magazine, ce qui était à l'opposé de mes préoccupations. J'étais devenu un cadre de plus dans un bureau de plus. Plus rien ne me faisait même rêver dans l'intitulé de ce métier. « Critique rock ». Le métier me faisait moins penser à la mission qui était la mienne qu'au nom imaginaire d'une barre chocolatée (« Criticroque, plus croustillant, avec deux fois plus de cacao »).

Très vite, la nouvelle de ma promotion se répandit dans les bureaux. Quasi instantanément, les anciens de Cyber Press me prirent pour « l'un des leurs », de ceux qui n'avaient pas cupidement quitté le navire au seul profit d'une lucrative clause de conscience, de ceux sur qui il fallait compter pour faire du « groupe » l'un des acteurs majeurs de la presse du divertissement.

Un après-midi, alors que je sentais que le regard des autres dans la rédaction avait changé sur moi, je reçus un coup de fil de l'assistante de direction qui m'annonça que le directeur Marc Andersen souhaitait me recevoir, et si vous vous demandez présentement s'il s'est agi d'un des plus grands moments de ma vie, je ne veux pas vous spoiler mais : non. Je fus appelé au beau milieu de l'urgence du bouclage, lors duquel il était toujours préférable que l'équipe reste au complet dans l'enceinte de la rédaction. Mais il dut me sembler que quand le devoir n'attend pas, et que la personne qui vous paye pour ce même devoir vous attend, il est préférable de faire attendre le devoir quand même. J'arrivai au quatorzième étage de Fiducial en ne me faisant pas trop d'inquiétude sur le sort qui m'était réservé. Andersen n'avait entendu que du bien de moi, et ses subordonnés l'avaient naturellement averti de ma promotion. Pieds nus, il était habillé avec un pantalon de kimono blanc et une chemise blanche au col grand ouvert. On aurait dit qu'il revenait d'un mariage en Italie. Si je n'avais pas su que j'étais en haut de Fiducial, j'aurais dit qu'il s'agissait du gourou d'une secte zen. Dans mon souvenir, il fumait également un cigare, mais il est possible que j'arrange le tableau de mes souvenirs. Comme Cyber Press était le groupe qui possédait les magazines *Ciné Live* et *DVD Live* qui avaient été gérés un temps par le journaliste Laurent Weil (connu pour être *le* journaliste cinéma de Canal+), il avait une grosse photo de lui au-dessus de son bureau avec Laurent Weil et ils étaient en train d'éclater de rire tous les deux. S'il voulait me faire passer le message qu'il était très complice avec Laurent Weil, de ce côté-là c'était gagné. Il m'invita à m'asseoir sur un gros canapé en cuir et me proposa une bière que j'acceptai pour ne pas démentir l'image rock qu'il se faisait de moi, imaginez-vous deux secondes comment ce n'aurait pas été rock de refuser une bière à 15 heures. Puis il commença à me raconter son histoire que j'oubliai quasi en temps réel, on m'a juste raconté *après* que Marc Andersen avait sorti un 45 tours dans les années 1960, c'est la seule chose que j'ai retenue de lui mais il ne m'en parla pas du tout ce jour-là (de ce que je me souviens). Il me dit une phrase en faisant beau-coup de bruit avec sa bouche (comme le font les gens qui ont la bouche très sèche), qu'à cause de ma tendance à mémoriser des choses très anodines je n'oublierai jamais. Il me dit : « Tu veux faire des magazines, je vais t'apprendre à faire des magazines. » La phrase ne semble pas grand-chose mais elle clochait pour moi à beaucoup de niveaux. Je concède que l'offre que je venais d'accep-ter laissait aisément entendre que je souhaitais continuer à faire des magazines, mais en réalité je n'avais plus spé-cialement envie de faire des magazines, voire plutôt plus du tout envie. Il y avait encore bien des choses que je n'avais pas apprises mais la seule chose qu'en réalité je ne trouvais pas inutile d'apprendre, c'était de gagner 3 000 euros par mois. C'était, à ce stade, la partie qui je crois m'intéressait le plus dans le fait de continuer à faire

252

des magazines. Dès qu'il me dit cela, je compris que le côté gourou du kimono blanc n'était pas anodin, mais hélas c'était ce pour quoi je venais de signer : continuer à faire des magazines sous la tutelle de l'homme en blanc du quatorzième étage. Pour commencer, poursuivit-il, il fallait que je rencontre toutes les personnes qui travaillaient dans l'organigramme du groupe. Il fallait (selon lui) que je connaisse bien mes interlocuteurs de façon à identifier l'origine du moindre retard dans le suivi des cahiers. Il continua en parlant d'Internet qui était déjà en train de bouleverser le marché de la presse, et il me dit qu'il allait falloir être inventif et force de proposition si on voulait s'aligner. Malheureusement, s'il y a bien une chose à laquelle je n'ai même pas essayé de penser quand j'ai découvert Internet, c'est inventer un truc qui rivalise avec Internet. Je ne voyais pas le moment de ma vie auquel pourrait me venir un tel projet. Andersen m'invita à revenir le voir dès que je voulais, mais je sortis de son bureau littéralement abruti par la somme d'informations (qui à la relecture ne semblent pourtant pas des masses) et décidai d'y retourner le moins souvent possible.

À partir de ce moment-là, les choses commencèrent à prendre une tournure encore plus sombre dans ma tête, et si j'avais disposé d'un sabre, il n'est pas impossible que j'aurais essayé de me faire hara-kiri, ce que finissent par faire les Japonais quand ils s'en veulent d'avoir accepté un poste à 3 000 yens. Ce sont de véritables claques dans sa gueule pour le faire réagir que j'aurais pu mettre au moi de six jours auparavant sur le point d'accepter de devenir éditeur délégué. Bientôt, Gilles me demanda de prendre rendez-vous avec la rédactrice en chef du magazine pour enfants *T'choupi* qui était dans les mêmes bureaux, car *T'choupi* incluait régulièrement des petits cadeaux avec le magazine (jouets, autocollants) et il voulait qu'elle m'explique la méthode à suivre pour que la fabrication du magazine puisse inclure le même procédé avec *Rock Sound*. Je pris donc mon courage à bras-le-corps, pour aller écouter la rédactrice en chef du magazine *T'choupi* m'expliquer comment elle avait eu un partenariat avec un fabricant de jouets pour que de mini-T'choupi en plastique soient offerts avec son magazine. En l'écoutant me parler de jouets, de magazines pour enfants et de blisters, j'avais les yeux rivés sur la fenêtre car elle était au neuvième étage et en sautant, je pensais que j'avais peu de chances de me rater, mais il y avait également un cutter sur son bureau et en taillant mes veines à la verticale, j'avais aussi des chances d'en finir vite avec Cyber Press (mais hélas aussi avec tout le reste, réussissai-je tout de même à me raisonner). La clause de conscience avait provoqué pas mal de départs, dont celui d'Yves qui avait fini par lâcher *Rolling Stone*, clairement fâché avec la nouvelle direction, ce qui m'avait donné l'impression d'être orphelin dans les bureaux. Même Frank avait quitté *Rock Sound* (qui y avait perdu beaucoup de son âme), il y avait donc un poste de secrétaire de rédaction à pourvoir. Il allait falloir, pour la première fois de ma vie, que je fasse passer des entretiens d'embauche : chose que je n'avais jamais faite auparavant, car il ne m'était jamais venu à l'idée de me mettre en situation de devoir le faire. Chaque fois que ce genre d'embûche se mettait désormais en travers de ma route, un néon vacillait péniblement dans ma tête avec écrit « 3 000 ».

Mickey Taylor (le pas connu)

Une quinquagénaire aux cheveux rouges du service comptabilité n'arrêtait pas de m'adresser la parole depuis ma « performance » sur la péniche, et quand elle apprit qu'un poste était à pourvoir dans notre rédaction, elle m'accosta dans un couloir pour me parler de sa copine Anita qui avait déjà fait des vacations à ce poste dans diverses rédactions du groupe, et qui était absolument fan de rock (ce qui était évidemment une condition *sine qua non* pour intégrer le bureau). Selon la grosse dame aux cheveux rouges quinquagénaire, Anita était la personne idoine pour ce poste (même si elle n'employa pas le mot « idoine »). Très vite après que s'était ébruitée la nouvelle que nous cherchions un nouveau secrétaire de rédaction et que des journalistes en avaient parlé à des amis, Gilles Heylen et la dame rouge entrèrent dans le bureau de *Rock Sound*, accompagnés d'Anita. Mon ordinateur était placé au milieu même du bureau de la rédaction, je faisais face au grand couloir. Les journalistes étaient partout dans le bureau, et je compris immédiatement que pour la jouer décontracté, je préférais la rencontrer ici à mon bureau avec tout le monde autour plutôt que de demander à Anita de me suivre dans un autre bureau pour parler en tête à tête, ce que j'imaginais qu'elle pourrait trouver louche (même si nous étions bien avant la période #metoo). Il faut bien se mettre en tête que je n'avais jamais fait d'entretien d'embauche de ma vie, ni à la place de celui qui demande un emploi, ni à celle de celui qui l'offre, et encore moins avais-je jamais fait d'entretien d'embauche « en public ». Anita s'installa en face de moi. Elle avait l'air gentille, elle était plus âgée que nous tous, elle devait avoir une quarantaine d'années. Ce n'était pas une madame, mais bon j'avais douze ans de moins qu'elle et immédiatement j'eus honte d'être en position de décider de son avenir. Je me rendis compte que je n'avais aucune idée ni des questions à poser, ni de la façon d'aborder un entretien d'embauche. Nous avions coupé la musique pour être plus au calme, comme on le faisait dans le cas de certaines visites. Dans le silence de la rédaction, je ne perçus alors qu'une chose, c'était qu'Émilie, Guillaume, Patrick et Olivier allaient parfaitement pouvoir entendre « l'entretien ». Me connaissant, ils devaient être sacrément curieux de savoir comment j'allais m'y prendre. Je ne pouvais pas leur en vouloir, j'étais moi-même très curieux de le savoir.

Je commençai d'abord par sourire à Anita pour lui montrer qu'on était sympa ici. « Alors… tu es secrétaire de rédaction ? » Je pense qu'elle ne s'était pas attendue à une question aussi évidente, étant donné que c'était pour ça qu'elle était là. C'est comme si je lui avais dit « Donc comme ça tu t'appelles Anita ? » Elle me répondit qu'elle maîtrisait tous les logiciels sur lesquels travaillait Cyber puisqu'elle avait déjà fait de nombreux intérims ici, elle faisait ce métier depuis plus de dix ans. Elle m'en boucha un coin. Les logiciels ! Je n'y avais pas pensé. Si j'avais eu l'idée de poser une question là-dessus, elle m'aurait bien coupé l'herbe sous le pied et il aurait fallu que je barre la ligne de cette question sur mon papier pour improviser une nouvelle question. Mais je n'avais pas de papier, et à vrai dire, plus beaucoup de questions. La suivante était ma dernière : « Tu aimes la musique et le rock ? » Aussi sec, Anita me répondit « Bah j'adore Led Zep », et je ne pouvais pas la contredire dans le sens où Led Zeppelin est bien un grand groupe de rock, très célèbre même. Je ne voulais pas faire la tête de celui qui attendait qu'elle dise d'autres noms quand même histoire de me montrer qu'elle suivait l'actualité, mais c'est la tête que je dus faire, car elle continua. « Sinon il y a aussi, je sais pas si tu connais, Mickey Taylor bien sûr, avec mon mec on est fans, c'est toute une histoire parce que mon mec le connaît bien. » Je n'étais pas sûr de savoir s'il fallait comprendre ou croire qu'elle me parlait de Mick Taylor le guitariste des Rolling Stones des années 1970, et lui posai la question. « Non pas Mick Taylor, Mickey Taylor, c'est un Anglais un peu fou, il habite dans le 18e, il a joué avec que des mecs hyper connus. Il fait plus grand-chose maintenant. » Je me demandai si je rêvais ou si elle était en train de me parler d'un pote à elle qui jouait de la guitare. « Il a joué avec Bill Philips, avec Marc Fix. » Inventait-elle des noms ? Je n'en connaissais aucun. *Bill Philips* ? Des machines à laver Philips ? Je compris vite effectivement que Mickey Taylor était un copain à elle qui avait une guitare, et je ne parvenais pas à imaginer les personnes dont elle me parlait autrement que comme les piliers d'un bar rock du 18e arrondissement, glorioles du boogie-blues-rock parisien. Pourtant, elle avait répondu positivement aux deux questions en lesquelles consistait l'entretien d'embauche (« oui » elle était secrétaire de rédaction et « oui » elle « aimait le rock »), et selon mes critères (certes indulgents), je n'avais aucune raison de penser qu'elle ne venait pas de le passer avec brio.

Affirmer que le DRH qui sommeille en moi était désormais exsangue serait exagéré, mais je ne trouvais plus quoi dire d'autre à Anita pour poursuivre la conversation que « Tu as le profil parfait », et Anita commença la semaine suivante au bureau. Si j'étais examinateur à l'oral du bac, j'ai dans l'idée qu'on aurait beaucoup plus de jeunes diplômés en France. Avant d'entrer dans la salle pour passer leur oral, les bacheliers n'auraient qu'à se refiler les réponses : « Il faut répondre "oui" et "oui". »

La charrette

Six mois plus tard, malgré les efforts acharnés de la nouvelle boîte (et les miens, plus relatifs) pour arranger les nombreux problèmes de retards de livraison de magazines, dont la confection même était déjà affectée par des équipes réduites (et, n'ayons pas peur de le dire, par le fait que j'étais l'éditeur délégué le moins motivé du monde), la plupart des titres avaient essuyé une baisse des ventes significatives, et la rumeur d'une vague de licenciements commença à se faufiler dans tous les bureaux. Je me mis à rêver de faire partie de cette charrette, pensant que ça ne se faisait pas de demander à se faire licencier d'un poste qu'on avait accepté six mois plus tôt. À ma grande surprise, c'est Gilles Heylen qui passa au bureau en me demandant de le suivre une nouvelle fois, mais nous n'allâmes pas déjeuner, il m'emmena dans son bureau et me dit qu'une rumeur lui était revenue aux oreilles. « Il paraît que tu veux faire des spectacles ?... C'est super ça ! » et je compris aussitôt que ce serait plus facile d'attraper la perche qu'il était en train de me tendre en annonçant dès maintenant que je voulais partir plutôt que d'essayer de repousser cet aveu aux calendes grecques comme je le faisais depuis un moment. Il en vint aux faits en moins de cinq minutes et proposa de me licencier au mois de mars, avec le sourire d'un imprésario qui annonce une super bonne nouvelle à son poulain. Il m'était manifestement reconnaissant de lui épargner un licenciement difficile à annóncer. Il était très content, et moi aussi, nous étions tous deux tout sourire à l'idée de ne plus travailler ensemble. Je regardai mon agenda, et oui, mars me semblait être le mois parfait pour goûter au chômage. Avant de reprendre les dates avec Rodolphe en mai-juin, ça me laissait deux mois à la maison pour oublier toutes les questions relatives au grammage du papier, me reposer et profiter de ma nouvelle vie en écoutant les centaines de disques accumulés jusque-là. Je n'allais plus être rappelé une semaine après avoir écouté un album pour dire à l'attaché de presse ce que j'en avais pensé.

Je reconnais n'avoir pas rendu les choses faciles à suivre pour mes parents qui m'ont vu quitter Tours pour devenir journaliste de rock, devenir rédacteur en chef (« en étant parti de rien !! » comme ils aimaient le répéter), puis éditeur délégué et décider de tout faire pour se faire virer pour aller faire du théâtre de rue. « Tu es sûr que c'est une bonne décision ? Tu as quand même une bonne situation. » Je n'avais jamais trop réfléchi en termes de « bonne situation », car le terme me faisait quand même beaucoup penser aux années 1950. Si j'ai adoré travailler la plupart de toutes ces années, et si je fais fi de la démotivation qui est venue aussi sûrement que les responsabilités sont arrivées, j'aime regarder la liste des artistes que j'ai interviewés comme une sorte de tableau de chasse et je me dis que j'ai quand même rencontré : un chanteur mort puis revenu à la vie puis re-mort (Mark Linkous de Sparklehorse), deux chanteuses qui m'ont un peu dragué

(Chan Marshall et Beth Hirseh), un chanteur tombé pour pédophilie aggravée (ne tapez pas le nom de Ian Watkins dans Wikipédia et si vous le faites, *surtout n'allez pas lire* la liste des faits de pédophilie aggravée pour lesquels il a pris quelque chose comme quarante ans de prison car vous trouverez probablement que ce n'est pas assez), deux chanteurs qui se sont endormis pendant que je les interviewais (Dave Mustaine et Kid Rock), et j'ai fait mon lot d'articles sur des groupes composés de chiffres et de lettres (Sum 41, Blink 182, Factory 81 ou JJ72 et même aussi les 2be3).

Épilogue

Été 2005. Je suis à la cantine du festival Cabaret Vert de Charleville-Mézières avec tous les autres artistes qui se produisent. Nous avons joué *Freddy Coudboul* avec Rodolphe cet après-midi devant 600 personnes dans l'un des espaces du festival réservé aux arts de la rue. À la table voisine, le groupe américain Deftones se partage des brochettes et un saladier de piémontaise, ils jouent ce soir sur la grande scène. Le badge qui pendouille à la ceinture du chanteur Chino Moreno est *exactement* le même que le mien. Il y a le logo du festival et en dessous, en gros, il y a écrit « Artiste – All Access », ce qui signifie qu'en tant qu'artistes, lui et moi pouvons accéder aux mêmes endroits dans l'enceinte du festival. J'ai exactement le même statut que le chanteur des Deftones. Le guitariste passe juste devant moi pour aller se resservir au buffet, je l'ai interviewé trois ou quatre fois dans mon autre vie, mais il passe devant moi sans me reconnaître et je suis presque fier de ne pas être vexé. Je ne peux pas lui en vouloir, on est tous en train de bosser, on n'a pas que ça à faire, ça se passe comme ça dans des loges d'artistes ! Un peu plus loin il y a un espace presse, dans lequel un journaliste de France Bleu attend pour faire une interview. Il est seul, il n'ose pas se mêler au reste des artistes pour ne pas déranger. C'est donc à ça que ça ressemble un journaliste, quand on est un artiste, à un mec seul qui ne veut pas déranger. Demain les Deftones retournent aux États-Unis pour la suite de leur tournée (je l'ai lu dans le *Rock Sound* que l'équipe continue de m'envoyer tous les mois depuis que j'ai quitté la rédaction). La semaine dernière, avec Rodolphe, on était dans les Landes au festival Musicalarue de Luxey avec plein de groupes qui jouent de la musique festive que je ne supporte pas mais qui sont tous hyper sympa alors c'est pas grave. Demain on joue aux Renc'Arts de Pornichet.

Thionville, 1993

Stop the groove

Remerciements

Je remercie tous les gens sans qui ce livre n'aurait pas pu exister, à commencer par moi-même pour ma persévérance et ma gentillesse.

Je salue également les patiences mises à rude épreuve de mon éditeur Christophe Absi chez Flammarion et d'Audrey Vernon.

Je n'oublie pas les précieux encouragements de mon ami Josselin Bordat ni les commentaires avisés de Fanny Salmeron.

Je salue les comédiens qui ont influencé et motivé le changement professionnel opéré à la fin de ce livre : Rodolphe Couthouis, Fred Tousch, Stéphane Filloque, Stanislas Hilairet et Arnaud Aymard.

Enfin je rends hommage à Ron et Russell Mael de Sparks, dont la découverte de l'œuvre entière est postérieure à ce qui est raconté dans ces pages, et a changé pour toujours la perception que j'avais de la musique en général.

TABLE

Cet ouvrage a été mis en pages par

<pixellence>

Achevé d'imprimer en mars 2022
par Normandie Roto Impression s.a.s.
61250 Lonrai
N° d'impression : 2201124
N° d'édition : L.01ELKN000882.A006
Dépôt légal : octobre 2021

Imprimé en France